I WANT TO BE SPOILED BY THE MARQUIS OF ICE!

氷の侯爵様に甘やかされたいっ！

5

シリアス展開しかない幼女に転生してしまった私の奮闘記

もちだもちこ
MOCHIDAMOCHIKO

illustration
双葉はづき
FUTABA HAZUKI

TOブックス

CONTENTS

CONTENTS

illustration 双葉はづき FUTABA HAZUKI
design ヴェイア Veia

人物紹介

CHARACTERS

メイア

MEIR

港町で出会った美女。実は大きな秘密を持っていて……？

ランベルト

LAMBERT

「氷の侯爵」「フェルザー家の氷魔」などと世間で恐れられている。
血のつながり関係なくユリアーナを溺愛（暴走）している。

ユリアーナ

JULIANA

前世はアラサーのライトノベル作家で現在は美幼女。自作品の世界の不遇キャラに転生し苦戦……すると思いきや、ただ周りから甘やかされ困惑している。

ヨハン

JOHANN

フェルザー家の次期当主であり、ユリアーナの異父兄。
父と同じく妹を溺愛している。

オルフェウス

ORPHEUS

ユリアーナの前世にあるライトノベルの主人公。
冒険者として活動し、高い評価を受けている。
セバスを尊敬している。

ペンドラゴン

PENDRAGON

ユリアーナの魔法の師匠であり、高い能力を持つ宮廷魔法使い。
ランベルトとは旧知の仲。愛妻家で子煩悩。

セバス

SEBAS

フェルザー家の執事であり、影と呼ばれるセバス一族の長。
最近の悩みはランベルトの暴走を止められないこと。

ティア

CHRISTIA

ユリアーナの前世にあるライトノベルのヒロイン（候補）。
高い能力を持つ神官で、フルネーム「クリスティア」と呼ばれることを頑なに拒む。

これまでのおはなし

ライトノベル作家だった私、本田由梨《ほんだゆり》は、気づけば自分の書いた作品と似ている世界に転生していた。よりによってシリアスな展開しかない不遇の魔法使い「ユリアーナ」という、無口美少女キャラクターに、である。

ユリアーナは母親が愛人と密通して生まれた「不義の子」で、父からは疎《うと》まれ、半分血の繋がりがある兄からは愛されず、挙げ句の果てに母は愛人と駆け落ちという最悪な環境下で幼少時代を過ごすことになる……はずだった。

駄菓子……だがしかし！

敵対するはずのお父様とお兄様からは溺愛《できあい》され、お屋敷の人たちやイケオジな魔法の師匠からは過保護にされるなどなど、とにかく周囲の人々から愛されるという夢のような展開になってしまった。

主人公やヒロインたちの行動も違っているし、体は幼女で中身はアラサーのユリアーナは、いったいこれからどうなっちゃうのーっ!?

というわけで、シリアスな展開のフラグを、お父様筆頭にことごとく圧《へ》し折る流れに流されつつある昨今の私《ユリアーナ》。

砂漠の国に行くはずが雪山に飛ばされてしまったり。

竜族の謎を解くためにダンジョンを探索することになったり。

ついでに竜族が抱える過去を、まるっと解決してみたり。

色々なことがありましてね。これはもう受難の相でも出ているのでは？　なんて考えた時期もあったよね……。

そこからようやく砂漠の『ビアン国』へ向かうことになったところで、立ち寄ったエルフたちの長年のお悩みをまるっと（モモンガさんのファインプレーで）解決してみたり。

二人の巫女《みこ》様（日本からの転生者）と会うことになったり。

砂漠にあるビアン国王家のダンジョンで（王族専用チュートリアル的な）冒険してみたり。

あっちこっち飛ばされたところで、王宮のドタバタをお父様たちがあっさり（お父様が中心で）鎮圧《ちんあつ》してしまったり。

そして、得難い人（前世の読者様）とのお別れを体験したり……と、本当に色々なことがあったのだ。

ようやく腰を落ち着けられるなぁ……なんて思っていたけど、砂漠の国で思わぬ申し出を受けることになる。

「姫君は『東の国』に興味があると聞いている。かの国は閉鎖的であるからな。我が国に多大な貢《こう》献《けん》をしてくれた姫君に、入国するための書状を与えようと思う。ユリアーナ……いや、冒険者のユーリ！」

ビアン国の王様《マハラジャ》からのありがたい申し出を受けて、表向きはビアン国に遊学中となっているユリアーナは、冒険者のユーリとして東の国へ向かうのであった。

さて、今回はどんな旅になるのやら……そして迫り来るシリアスフラグを回避できるのか……?

ご期待ください!!

1　いよいよ出発の幼女

ビアン国から東の国に向け、いよいよ出発となった本日。私たちは準備万端で聖獣ウコンとサコンがひいてくれる馬車に乗り込んだ。

ところが出発直前、アケト叔父さんが「耳に入れたいことがある」と言い出し、なんとお父様だけ王宮に呼び戻されてしまった。

なぁーぜぇー。（おどろおどろしい声で）

「少々お時間がかかるようですね。馬車の中を広げますので、しばらくこのままお寛《くつろ》ぎください」

「はい！」

セバスさんの言葉に元気よく返事をする。ちなみに広げるというのは、新たにお父様が仕込んだ魔法陣のことだ。

これまではお屋敷にある応接室程度だった広さを、王宮の応接室くらいまで広げることができるようになった。

それによって何が変わるわけでもないのだけど……いや、かなり広くはなったんだけど……変えた理由は、この後に加わる護衛たちのためらしい。

ご新規さんが増える理由はひとつ。現在の護衛が減るからでありまして。

つまり、私ことユリアーナは「涙の別れイベント」をする必要があるのでございます。

せっかくなので今のうちにイベントを堪能《たんのう》させていただきたく、ティアをじっと見つめる私。

「ティア、はなれていても、忘れないでね？」

「はぅっ！　もちろんです！　ユリ……ユーリちゃんも、私のことを忘れないでくださいね！」

「あたりまえだよ！」

涙目で叫ぶ私を、ひしと抱きしめるティア。そして極上のたゆんたゆんで息が……息が苦し……むぐぐ……。

ティアは『巡礼神官』として、一度国に帰って神殿に報告する必要があるとのことだった。

とはいえ旅はまだ続けるんだって。東の国に向かう船が出る港町で、後日待ち合わせすることになっているよ。やったね。

女の子のひとり旅は危険だよーって思っていたら、オルフェウス君も本国の冒険者ギルドに護衛任務完了の報告をするからティアに同行することになっていた。よかったー。むぐぐー。（ハグ継続中）

「こらこら、お嬢サマが苦しそう……っていうか落ちる寸前だぞ」

「あっ、すみません！」

オルフェウス君の言葉にあわてて解放してくれるティア。いつもならお父様が救出してくれるけど、今はビアン国の国王様とアケト叔父さんとお話中だからね。

いや、これくらいのことは自分ひとりの力でなんとかしないと。

なぜなら今の私は「冒険者ユーリ」なのだから。

成人……しているようには見えないってことだけど、幼女じゃなくて少女にはなっているはずなのだから。

あ、そうそう。アロイスなお父様は、目的地に着いたら精霊の移動を使ってギルドに報告するそうです。二人もそうすればいいのになぁ……。

「俺らがいない間は、なんかあったらすぐに侯爵サマを呼ぶんだぞ」

「絶対ひとりで行動したらダメですよ。新しい護衛さんたちの言うことをよく聞くのですよ」

オルフェウス君とティアからの言葉が解《げ》せぬ件。

でも、しばらくの間とはいえ離れてしまう二人が過剰に心配してくれるのは、少しだけ嬉しかったりもする。

だから二人には元気よくお返事をするのだ。

「はい！　おまかせあれ！」

「……不安だ。不安しかない」

「……何事も起こらないよう『祈り』ましょうね」

失礼だな二人とも！

ぐぬぬとなっていたら、セバスさんからいい香りの紅茶を出される。

「大丈夫ですよ、ユーリ様。セバスがついておりますからね」

どこの世界に護衛のいる冒険者がいるのよ！

そうですね！　ここにいますね！

盛大に頬《ほほ》を膨《ふく》らませている私に「そういえば」と話を変えようとするセバスさん。

「ユーリ様の精……小動物《ごゅうじん》はどこに？」

「モモンガさんなら、お父様についていったよ」

普段はお父様と距離をとっているモモンガさんが、珍しいことについて行ったんだよね。

なぁーぜぇー。（おどろおどろしい声ふたたび）

やっと走り始めた馬車の中、アロイスモードから戻ったお父様は、幼女に戻った私をお膝《ひざ》抱っこしながらゆったりティータイムしている。

くつろぐ時は、いつもの姿が一番よきですなぁ……。

モモンガさんもどこか「やり遂げた」みたいな凛々《りり》しい顔で木の実をかじっているけど、王宮でアケト叔父さんたちと何を話していたんだろう？

「きゅっ！（気にするな！　たいしたことではない！）」

いや、そう言われるともっと気になるのですが。

「ユリア、あの大きな魔力が王宮にあっただろう。その追加情報があったのだが、さすがに国家機密だから私《フェルザー》が出向くことになった」

「おおきなまりょく……こっかきみつ……」

えーと確か、王宮でクーデターだとか騒ぎになった時に、空に魔力がたくさん集まっていた件でしょうか。

私ったら魔力の流れがおかしいと認識していたくせに、その道の専門家であるお師匠様の存在をすっかり忘れていたんだよね……呼べばよかったのにね……。

後でお父様がお師匠様と連絡をとってくれていたんだけど、私がやるべきことだった気がするめっちゃする。

その節はご迷惑をおかけしました。

「ベルとうさま、ごめんしゃい」

「んんっ……ユリアが謝る必要はない。あの混乱の最中、冷静な思考は難しいだろう。お前はまだ幼いのだから」

いや、中身は幼くないので。

落ち込むあまり噛《か》んでしまったけど、心は大人……のはず。

うーむ、なんだかなぁ。

最近というか、ずっと考えないようにしていたんだけど……私、思っていた以上に中身も幼いのでは……？

「きゅきゅ（あまり考えすぎるのもよくないぞ。主よ）」

でもさ、精霊界で魂《たましい》の姿になった時もさ……。

「ユリアはユリアだろう」

「……あい」

お父様からのお腹に響くバリトンボイスと頭を撫《な》でられるという連続攻撃（？）に、あっさり陥《かん》落《らく》する私でございます。

はふぅ、至福ぅ。

馬車は国境を目指し走っているのだけど、王都のある方角ではなくて別のルートに向かっている。

位置と距離だけを考えるなら王都を経由した方が早いのだけど、彼《か》の国は海を越えた向こうにある。

もちろんボートみたいな小舟じゃ無理だから、東の国に行くには大型船がある南の港町からが、
地図上は遠回りだけど安全なルートということになる。

「王都の東には精霊の森があるし、地形的にも港を造るのは大変だよな」

「あの森は不可侵とされていますからね」

そうそう。あの森はお師匠様の奥さんみたいな、希少種の獣人《じゅうじん》族の皆さんが住んでいるんだよね。

フェルザー家の領地の一部ではあるんだけど、ある意味エルフ族たちのような特別自治区みたいにしているんだって。

お父様曰《いわ》く「精霊界に繋がっているような厄介《やっかい》な森を管理するのは面倒」とのこと。

獣人族の皆さんをうまく利用する、案外ちゃっかり者のお父様なのでした。

国境に着いたところで、オルフェウス君とティアとはお別れだ。

砂漠は抜けているとはいえ、けっこうな距離だけど……歩いて行くってどうなの？

「国境なら乗合馬車もあるし、たまには冒険者らしいことをしておかないと体がなまっちまうからな」

「私も体力には自信があるので、お気になさらず」

いや気にしますし。

そしてやっぱり寂しいですし。

「ユリア、またすぐ会える」

「……あい」

うるっとしてきた目を思いきりバシバシとまばたきさせた私は、しっかりと笑顔で二人を見る。

「ふたりとも、きをつけて！」

「おう！」

「ユリちゃんもお元気で！」

馬車を降りていく二人の背中を見送る私は、そういえばこういう経験をしたことがあるのを思い出す。

またね、と手を振って。

次がいつになるのかという約束は、結局しないままだったなぁ。

「ユリア、どうした？」

「……なんでもないです」

二人と離れる寂しさから、つい思い出しちゃったけど……前の世界のことだからしょうがないのだ。

生きているかぎり別れというものは必ず訪れる。それは予告もなく、ある日突然だったりする。

私はそれを知っているし、別れを告げられないまま消えた存在ではあるのだけど……せめて今世は笑顔で「ありがとう、さようなら」と言いたいなぁと思う。

二人の出ていった馬車のドアをぼんやりと眺めていると、ふわりと抱き上げられる。

背中をぽんぽん叩《たた》いてくれる手はやっぱり優しくて、お父様の服を少しだけ濡らしてしまうのでした。

2　新たな護衛に驚く幼女

前に国境を越えた時は、国同士で事前にやり取りできていたため、私は何もせずに通ることができた。

でも、今回は違う。

ビアン国との国境には、簡易的な詰所が建てられている。そこには二国の騎士が必ず二人ずつ駐在するようにしている。

正規のルートで入らないと密入国扱いになって、何か問題を起こしたら一発で牢獄コースになるのだ。

あ、お父様とお兄様とセバスさんの精霊の力であっちこっち移動しているけど、そこはうまいこと法の網をくぐり抜けているから大丈夫だよ！　安心してくれていいよ！（安心、とは）

そんな現在。

二国間の国境を守る騎士さんたちが、お父様……アロイスとセバスさん、そして冒険者モードになった私をジロジロと見ている。

な、なんですか？　なにも悪いことはしてませんよ？

「若い男女と壮年の男性だと聞いているが……」

「子どもがいるとは聞いていないなぁ」

あん？　誰が子どもだって？

憤《いきどお》る私をサッと抱き上げてセバスさんにパスするお父様《アロイス》は、騎士二人に鋭い視線を送る。

「誰から聞いた？」

「あ、あそこにいる二人組からだ」

外見はたおやかな美青年でも中身は『フェルザー家の氷魔《ひょうま》』と呼ばれているお父様の威圧に、騎士さんは多少びくつきながらも教えてくれた。

二人組って誰だろうと視線を動かすと、お父様以上に派手な外見の男女がいるではないか。

燃えるような赤い髪をしたガタイのいい男性と、青みがかった銀色の髪を靡《なび》かせた女性が、以前に会った時とは違いしっかりと旅装束を身にまとっていらっしゃる。

「おじいさま、おばあさま」

「おおっ！　ユリアー……ユーリたん！」

「まぁまぁ、すっかり大きくなって！」

お祖父様は私の名前の呼びかたに気をつけてくださいな。

そして落ち着いてくださいお祖母様、これは成長の魔法陣で大きくなっているだけでしてね。

抱きつこうとしてきた二人よりも素早く私を抱っこするお父様《アロイス》。

「おぉい、ユーリたんを独り占めするなよぉ」

「そうですよ。私たちは久しぶりなのに」

「ダメだ。ユーリが減る」

減りませんよ、お父様。そしてアロイスモードなお父様を見ても驚かないのは、親の愛情ってやつかな？

ところで私は御二方をなんとお呼びすればいいのでしょう？

「俺は冒険者のゲオルクだ！　若い頃は炎獄《えんごく》の獅子《しし》なんて呼ばれていたんだぞぉ！」

「私は冒険者のナディヤ。困ったことがあったら暴風の蒼竜《そうりゅう》の関係者だと言えば皆さんすごく親切にしてくれるから、ぜひ私の名を使ってちょうだい」

いや、お祖父様はともかく、お祖母様の二つ名で「親切にされる」という流れについてはちょっと……いやかなり怖いのですが。一体なにをしでかしているのですかお祖母様。

なかなか落ち着かない御二方を、とりあえず馬車へと案内することにした。

騎士さんたちも「この二人と知り合いなら」って感じで、国境も無事通れそうだ。アロイスの名前もまあまあ有名ではあるらしいけど、昔活躍した人とは別人だと思われているっぽい。

ちなみに私たちが乗っている魔改造馬車は、空気（？）を読んで外装が変化する魔法陣が刻まれている。今は「冒険者たちが借りてきたちょっと豪華な馬車」という感じだ。

この便利な魔法陣はお師匠様の作品で、人に刻もうとすると作動しない「物」に対してのみ有効なものだ。もし人に使われたら危険だから、安全対策はとられているよ。

……体の年齢を操作する魔法陣は、セウト（セーフでもアウトでもない）っぽいのだけど、お父様の権力で使っていたりする。えへへ。

馬車をひくウコンサコンも「普通よりちょっといい馬」という感じの外見になってくれている。

本当に優秀すぎる聖獣さんたちだよ。ありがたや。


「まったくお前という奴は……」

「あらあら、馬車ってここまで進化するものなのねぇ……」

呆《あき》れた様子のお祖父様と、どこか呑気《のんき》なお祖母様。

ちなみに馬車は進化したのではなく、お父様とお師匠様による魔改造の結果ですよ、お祖母様。

以前よりも広くなった馬車の中は、天井もすごく高い。そしてお祖父様とお祖母様も、この世界の人たちの平均よりも抜きんでて高身長の持ち主なのだ。

なるほど。この御二方のために広くしたのですね。さすがお父様。

「……この二人が揃うと息苦しいだけだ」

そんなこと言って、お父様ったら照れちゃって。

「んん？　なんのことだぁ？」

「今、ユーリちゃんが何か言ったのかしら？」

おっといけない。冒険者モードの私なら噛まずに話せるから、なるべく口に出していかないと……。

お父様とセバスさんみたいに適度に心を読んでくれるわけじゃないものね。

「ユーリたんがアロイスを褒《ほ》めているのはわかったけどなぁ」

「ええ、ええ、そうですよ。アロイスばかりユーリちゃんに尊敬されて羨《うらや》ましいわね」

あれ？　御二方にまで私の心が読まれている？？？

「ユーリ様、以前から申し上げておりますように、少々お顔に感情が出過ぎてらっしゃるかと」

「そこが愛らしいところだ。気にするな、ユーリ」

セバスさんからの言葉にショックを受けている間に、お父様から甘やかしお菓子が口もとに運ばれるのを、そのままパクリと頬張る。

あ、これ好きなやつぅ……ドライフルーツたっぷりパウンドケーキだぁ……。

お茶とお菓子が所狭しと置かれたテーブルには、お祖父様とお祖母様からのお土産も並べられている。

私が焼き菓子の中でもバターケーキ系が好きだと知って、色々と取り寄せて持ってきてくれたのだ。えへへ嬉しい。

ところでお父様。今の私は冒険者モードの魔法使いユーリですから、ひとりで座れますよ？

もぞもぞと移動しようとするけど、なぜかお膝抱っこ状態のままガッチリ固定されていて動けない。アロイスモードの発展途上筋肉とはいえ、片手でこれとは本当に将来有望な筋肉がすぎる。

……うん。将来どうなるか知ってるけどね。

「ところで、なぜおじ……ゲオルクさんとナディヤさんがきたの？」

「この二人は王都から南にあるフェルザー家の領地のひとつを管理している。そちらを放置するわけにはいかないから戻るよう言ったら……こうなった」

そう言ったお父様《アロイス》の眉間には深いシワが刻まれておりまして。

理由とお父様の微妙な気持ちはなんとなくわかったけど、私は御二方に会えて嬉しい。

「ありがとうございます！」

「……うむ」

お父様（アロイスバージョン）の照れ顔いただきましたー‼

フェルザー家には領地がいくつかあって、王都の東にある精霊の森周辺と、南にある高原のリゾートみたいな地域もそのひとつだ。

他にもあるけど、そこは王族の血筋を持つ人たちに渡すため、フェルザー家の名義で一時的に管理している領地なんだって。だからそこの土地の仕事はほとんど王様に投げているのだそう。

王領地にするよりも「あのフェルザー家が管理してる土地」のほうが、他貴族たちの反発が少ないんだってさ。不思議だね。

「港町もフェルザー家の領地ではあるが、私の代になってから町に定住する商人たちによる特別自治区にした」

「獣人族の森みたいにですか？」

「ああ。貿易についての案件は国が受け持つが、交易は彼らの腕によるところがあるからな」

えーと、貿易は他国との輸出入のことで、交易は物品の取引とか売買のことだっけ。

ここにきて急に社会の勉強って感じになってきたぞ。

そしてこの世界は私の書いたライトノベルのはずなのに、設定がどうなっているのか分かっていないのは毎度のこと。

前世の私の脳内設定がふんわりしすぎていて相も変わらずひどい。申し訳ない。

お祖母様がいつの間に手懐《てなず》けたのか、モモンガさんに木の実をあげながらクスクスと笑っている。

「港町に住む皆さんは、とても気持ちのいい人たちばかりなのよ。ユーリちゃんも気にいると思うわ」

「その前に、俺たちが住んでいる高原の屋敷に行くぞ。そこに滞在して、船の手配ができたら港町に出発すればいい」

お祖父様が豪快に焼き菓子を数個口に放り込むと、お茶ではなくワインを流し込んでいる。甘党の辛党なんて前世の友人みたいだなぁと思ったり。

たまに思い出す前世の細々《こまごま》したことって、なにか意味があるのかしら？　いや、こんなこと考えたら何かのフラグがたちそうだから気にしないでおく。

お祖父様の言う「船の手配」というのは東の国にいく大型船のことで、不定期に出港しているから特別な手続きが必要になるそうな。

東の国はそこまで開けていないから、向こうから許可が出ないと港に入れず何日も待たされることになるんだって。さすがに乗船員たちの水や食料がなくなってしまうから、事前に入港の許可をもらっておくことを徹底しているとのこと。

「おじいさま、東の国と、どうやってやり取りしているの？」

「向こうから『符』を預かっていて、それを使うんだとよ」

「ふ？」

「魔法陣とも違っていてなぁ……原理はよく分からん。前に鳥の小僧が見せろとうるさかったが、向こうが許可しなかったんだ」

鳥の小僧って、もしかしてお師匠様のことかな？

お父様の顔を見ると「うむ」と頷《うなず》いている。

「おししょったら……」

「そういやユーリたんは、あの小僧の弟子かぁ。アイツも偉くなったもんだなぁ」

豪快に笑うお祖父様を前にすれば、あのお師匠様も小僧あつかいになるのが面白い。もしかしたらお師匠様だけじゃなくて、お父様の昔話も色々と聞けるかもしれない。

ワクワクしていると、お父様から「ほどほどに、な」と頭を強めに撫でられましたとさ。

高原のお屋敷、楽しみです!!

3　物騒な発言を注意したい幼女

さてさて、お祖父様たちのお屋敷に向かっている途中ではありますが、お父様は王都の本邸でお仕事と、アロイスとして冒険者ギルドに報告するとのこと。

ならば私ユリアーナもご一緒させていただこうと思っておりまして……。

べ、別に、オルフェウス君とティアがいなくて、さみしいとかじゃないんだからねっ！　お兄様に会いたいだけなんだからねっ！

「王都の本邸に移動ってのは、どういうことだぁ？」

「この馬車には本邸に転移するよう、ペンドラゴンが魔法陣を組み込んでいる」

「アロイス、あなたって子は……そこまでしてユーリちゃんと一緒にいたかったのね……」

なぜか感極まった様子で涙を流すお祖母様に、私はこてりと首をかしげる。

「母のことは気にするな。それよりも本邸に入るから姿を戻すように」

「あい。ベルとうさま」

元の姿に戻ったお父様の言葉を受けて、私は腕に巻いてある布をシュルッと外す。なんと言ったらいいのか、ちょっと中二病（ダークサイド）っぽいと思ったのは内緒だ。

私もお父様と同じく魔法陣を刻んだ布を腕に巻いていて、それを外せば元の幼女に戻るようにしてもらった。ずっとお世話になっていたポンチョだけど、室内で取る必要があるからね。

布を重ねて巻くことで魔法陣が発動するようになっていて、布を当てれば勝手に巻かれていく仕様になっているところは幼女の不器用さをフォローしてくれるのでありがたい。

お師匠様はもっと簡単に切り替えられるような魔道具を作りたいと言ってたけど……馬車の時みたいに暴走しないよう、ほどほどでお願いしたいところだ。

ちなみに、着ている服は毎度おなじみの体に合うよう伸び縮みする異世界仕様です。魔法陣って刻むのはすごく手間かかるけど便利だなぁと思う。

「ユリアーナたん！　会いたかったぞぉ！」

「かわいい！　どっちのユリアーナちゃんもかわいいわね！」

幼女の姿《もとのすがた》になった途端、すごい勢いで向かってくる高身長夫婦。その抱擁《ほうよう》攻撃から素早く私を抱っこして、華麗に回避してくれるお父様。祖父母の迫力からしてかなり激しそうな抱擁だったかと思われます。おかげで助かりましたお父様。

「冒険者のユーリたんと我が孫のユリアーナたん……どちらも天使のようだな……」

「もっと成長したユリアーナちゃんを愛でるために、私たちも長生きしないとなりませんね」

今度は力を加減しながら頭を優しく撫でてくれる御二方に、にっこり笑顔をお返しする。

ぜひとも長生きしてくださいませ。お祖父様、お祖母様。

馬車の中にあるお屋敷直通出入り口に入るのは、お父様と私だ。砂漠ダンジョンの時ぶりにお兄様と会うことになるから、幼女は少しだけ緊張しちゃう感じ。

セバスさんは馬車に残ってお留守番で、お祖父様とお祖母様は魔獣が出た時のために残るとのこと。そういえば御二方とも、お兄様とは王都のお屋敷でずっと一緒だったたっけ。

モモンガさんは馬車の外にいるウコンサコンを労《ねぎら》うという。いっぱい働いてくれたから、奮発して遊牧民エルフ族さんから買った貴重な木の実を渡したよ。

お屋敷とつながっているドアを開けると、キラキラとしたオーラを背負って迎えてくれるお兄様がとても眩《まぶ》しゅうございます。

「ユリアーナ、無事でよかった」

「おにいさまー！」

さっきまでの緊張はどこへやら。ぽてぽてと走って抱きつこうとした私を、ふわりと抱き上げてくれるお兄様。

うわーん！　なんかすごく懐かしい気持ちになっておりますよー！

いつもならお父様抱っこを優先させる流れになるけど、久しぶりの逢瀬《おうせ》なのでお兄様抱っこでよろしくお願いします。

おや？　少し背が伸びましたかお兄様？

「その服は新しい冒険者用のものか？　よく似合っている」

「えへへ、ありがとです。おにいさま」

実は遊牧民エルフ族の人たちから餞別にと、日差し避けにもなるフードつきマントをもらったのだ。風通しがよくて、かわいい模様の刺繍《ししゅう》が入っているので気に入っている。もちろん体の大きさに合わせて変化する魔法陣入りだよ。

いつの間にかセバスさんが用意してくれたお茶と焼き菓子が並ぶテーブルへ移動していた。

ゆったりとソファーに腰をかけるお父様と、珍しくお兄様に膝抱っこされる私でございます。ひとりで座りたいけど、久しぶりのお兄様だからそのまま継続で。

「変わりはないようだな」

「はい父上。お祖父様とお祖母様がいらっしゃったので、重要な案件は滞《とどこお》りなく……いえ、それよりも重要な案件がありますす」

「なんだ？」

眉間にシワをよせるお父様に、お兄様は私を抱っこしたまま書類を手渡す。片手抱っこでも安定感が抜群ですね。さすがお兄様、さすお……いやなんでもないです。

「ユリアーナの婚約者候補は誰なのかと、社交界でまた噂になっているようです」

「そうか。で？　誰を消せばいい？」

とうとつにお父様が発する冷たいオーラと物騒な発言に、ぶるりと震える幼女《わたし》。

そんな私の背中を優しくぽんぽん叩いてくれるお兄様がやさしいです。ありがたや……。

「虫は定期的に業者が駆除しておりますよ」

「まったく……騒がれるたびに他の噂《うわさ》を流してはいるが、それも効果がなくなってきたようだな。次の手を考えるか」

なんと、社交界で私が噂になっているとかビックリです。まだまだこんな幼女なんだから面白いことなんて起こらないだろうに。

そして「ゴシップにはゴシップをぶつける」なんて荒っぽい手法をフェルザー家はとっていたのか。ドキドキ。

「それよりも父上、厄介なことに今回の噂は王家が絡《から》んでおりまして」

「どういうことだ？」

「第二王子殿下か第三王子殿下のどちらかではないかと」

「あり得ないな」

バッサリと切って捨てるお父様に、お兄様も強く頷いている。

「はい。あり得ないことです。それなのに噂は真実のように語られておりました」

「どこの馬鹿が言い出したのか知らんが、ユリアは王家なぞにやらん」

確かに王子たちの婚約者候補ともなると、階級から侯爵家令嬢である私が選ばれるだろう。

でも、お父様の言うとおり、私が王家に入るのは危険すぎる。ましてや二番目と三番目の王子が相手なんて……頭おかしいんじゃないかって思うよ。

だって第一王子と第二王子は第二王妃様の子で、第三王子は第一王妃の子なのだ。文字にしたらすごく面倒だし、もし私《ユリアーナ》がどちらかを選んだとしたら……。

「ユリアが王家と繋がれば、馬鹿な貴族たちが後継者争いの流れを嬉々としてつくるだろうな」

「そのような事態にユリアーナを巻き込むわけにはいきません」

お兄様から聞いた話では、第一王子と第二王子は国王になりたくないと思っているみたいで、あわよくば互いに王位を押し付けようとしている感があるとのこと。

ちなみに第三王子は小さすぎてまだ意思疎通できないんだけど、父親似なら兄たちと同じような性格になりそうだなぁ……なんて。

せめて私との婚約云々《うんぬん》については、ぜひとも乗り気にならないでほしい。

まったくもって、やれやれだよ……。

4　身内に最強を見つける幼女

学園に戻るというお兄様に別れを告げて、馬車に戻ろうとしたところ……エマとマーサに見つかり、最近さぼっていた髪とお肌の手入れにダメ出しされている幼女でございます。

「お嬢様、砂漠の気候には気をつけてくださいと、あれほど申し上げましたのに！」

「やはり私かエマを同行させたほうがよろしいのでは？」

「だいじょうぶです！　きをつけます！」

前の世界でも美容に気をつかうタイプじゃなかった。その気質はしっかりとユリアーナにも受け継がれているわけで。

そして問答無用でお風呂に入れられておりましてね。

二人とも文句を言いながらも手つきは優しいから、まったりとした時間をすごせるし癒《いや》されてはいるのだけど……こまめに帰って来いと言われているみたいな圧がですね。

さっぱりしたところでお父様と合流すると、さっそく抱き上げられて頭を撫でられる。

「ユリア。もっと自分を大事にするように」

「ベルとうさま……」

貴族だから身だしなみを整えろと言わないところがお父様クオリティー。やっぱり魔法だけじゃダメみたい。人の手には敵わない部分があるんだろうなぁ。

しみじみと感じ入っていると、お父様がエマとマーサに視線を向ける。

「定期的に屋敷に連れてくる」

「お願いいたします」

「お待ちしております」

深々と一礼する二人に、なんともいえない気持ちになる幼女でありましたとさ。


馬車に戻ると、お祖母様が優雅にお茶を飲んでいらっしゃった。

窓の外を見れば景色が動いていない。馬車が動いていないということは、ウコンとサコンが休憩中なのかしら？

「おばあさま、ただいまもどりました」

「おかえりなさいユリアーナちゃん。相変わらずマーサの腕はいいわねぇ」

うぅ、まさかのお祖母様にまで言われてしまうとは。

ひそかに落ち込んでいると、お父様が慰めるように背中をぽんぽんと叩いてくれる。

「そこまで気にすることはない。ユリアの魔力操作は素晴らしいものだ」

「ええ、とてもかわいいですよ」

そういうことじゃないんだけどなぁと思いながらも、二人の優しさはしっかりと受け取っておきますよ。

だって幼女だからね。大人からの愛と優しさはお子様の栄養分です。

ところでお祖父様はどこに？

「現在、ゲオルク様は大型魔獣の討伐《とうばつ》をされております」

「まじゅう!?」

お祖父様の強さはわかっているつもりだけど、ひとりで大丈夫なの？

見たところ誰も慌てていないし、セバスさんは私とお父様の分のお茶を用意しているくらいだ。

そわそわしていたら、お父様が「安心しろ」と甘いミルクティーを作ってくれたよ。お砂糖の加減がちょうどよくてほっこりするね。

「このあたりの大型魔獣に遅れをとるようなら、ユリアーナちゃんの護衛から外しますよ」

「あの父にかぎって、魔獣ごときに遅れをとることはない」

それに……と続けるお父様は、ジャムの載っているクッキーを私の口に放り込むと視線をセバスさんに向ける。

「はい。もちろん常に『影』をつけております。ご安心くださいませ」

いかにも歴戦の冒険者といった風体《ふうてい》のお祖父様も一応貴族だ。護衛くらいはつくよね。

「とはいえ、今のところ一度も出番はないのですが……」

それは護衛って言えるのかな？　まぁ、貴族には体裁《ていさい》ってやつが必要だから、たぶんこれはこれでいいのだろう。

「私は竜と互角に戦えるが、あの父を見ると竜が戦うのを嫌がるというからな。魔獣なぞ敵にもならんだろう」

あ、例の北の山で起きた出禁事件ですね。

詳しくは知らないけど、昔お祖母様をめぐっての争いがあったとかなんとか……。

竜といえば竜族のディーンさんを思い出す。雰囲気からすごく強そうな人たちだったのに、嫌がられるとかどんだけなのか。

「ハッハァッ！　じぃじが戻ったぞぉユリアーナたんっ！」

突然馬車のドアが開かれた音に思わず体が硬直する私を、すかさず抱きあげてセバスさんにパスしたお父様は立ち上がる。

そして突撃してくるお祖父様の足に、お父様が座っていた椅子《いす》を当てて転ばせるお祖母様の華麗なる連携プレーがすごい。

いや、すごいとか言っている場合じゃないよ！　なんかお祖父様が転がったまま動かなくなっているよ！

「おじいさま、だいじょうぶ？」

「ユリアーナたん！　じぃじを心配してくれてグハッ⁉」

「汚れた格好でユリアーナちゃんに近づくものではありませんよ。ゲオルク」

起き上がって私のほうに向かってきたお祖父様に、たぶんお祖母様が何かされたのだろうけど、速すぎて見えなかったです。

「まだまだ暴風の蒼竜は現役だな。良い突きだった」

「さすが我が最愛のナディヤ！　召されるかと思ったぞぉ！　……わりと本気で」

感心しているお父様の横で、痛そうに脇腹をさするお祖父様がちょっと心配です。

それより、もしかしてこの中で一番強いのはお祖母様だったりするのかしら？

「ナディヤは妻であり師匠でもある。大陸最強の冒険者だろうと言われているんだぞぉ」

「ふぉぉ、おばあさますごい！」

「それほどでも……さすがにもう年ですからね」

気づかない間にセバスさんがとっ散らかっていた椅子を元通りにしていて、私は気づけばお父様に抱っこされていた。

お祖父様が寂しそうに私を見ているけど、お祖母様に言われてお風呂に入るとのこと。私はさっきお屋敷で磨《みが》かれたので今日はもう寝るだけだよ。

「いくつも部屋があってお風呂にまで入れる馬車……ユリアーナちゃんのためにここまでするなんて本当に変わったのね。ペンドラゴンも絡んでいる」

「私だけではない。アロイス」

「あらあら、そういうことにしておきましょうか」

微動だにしない笑顔のお祖母様に無表情を貫くお父様。

そんなお父様が幼き頃に過ごしていた土地へと、私たちは向かっている。

「かの屋敷には先代の『セバス』がおります。気になることがあれば気兼ねなくお声がけくださいませ」

「まえのセバシュ？」

「ええ、今はゲオルク様とナディヤ様に仕えておりますが、私の前に本邸にいた執事長でございますから」

ふむ。つまり、幼き頃のお父様のことも知っているということですね？

これは色々と聞かねば！

「ユリア、ほどほどに」

「あい！」

返事だけはいいと言われる幼女ですから、お任せあれ！（何を）

お祖父様がお風呂から出てきて「さぁ遊ぼう！」と誘われたけれど、ウコンとサコンの驚異《きょうい》的な移動能力が発揮されていて目的地に到着しておりました。残念。

「ユリアーナたん……」

「移動でユリアは疲れている。それは後日にしてもらおう」

「ぐぬぬ」

ごめんなさいお祖父様。

お父様の言うとおり、今の幼女は凄《すさ》まじく強い眠気に襲われているのです。

「あなた、船の手配に数日かかりますし、今日は休ませてあげましょう」

「そうだなぁ。また明日、じぃじと遊ぼうなぁ」

了解です。お祖父様。

お父様抱っこで馬車から出ると、外は真っ暗でお屋敷の外観がまったく分からない。

それも明日ですね。

「馬車経由で本邸からマーサとエマを呼ぶ。この屋敷でユリアの世話をさせる」

「そうですね。うちには必要最低限の使用人しかいませんから」

「警備は」

「問題ないですよ」

「念のため『影』を置いておくか」

「あらあら過保護さんね」

お父様とお祖母様のやり取りを子守歌にして、お先におやすみなさーい。ぐぅ。

5　別のお屋敷で待機する幼女

やたら鳥の声がチュピチュピと響く。

窓から入る光の明るさに目をしぱしぱさせながら起き上がると、お腹がグゥーと鳴った。

「ふぉっ⁉　だ、誰も聞いてない、よね？」

周りを見回せば、本邸の自室とは違って落ち着いた色の壁紙と、シンプルなデザインの家具が目に入ってくる。

そして私の寝ていたベッドもキングサイズだけど、横にもうひとつキングサイズのベッドがあるよ。ツインだよ。

「おはようございます。お嬢様」

「朝食は部屋でとられますか？」

「マーサとエマ！　どうしてここにいるの？」

差し出された器で顔を洗い終えると、流れるような動作で寝間着を脱がしたマーサに、素早くワンピースドレスを着せてくれるエマ。

寝起きのぼんやりした頭では、いつもの流れを受け入れることしかできない。

「旦那様に呼ばれまして。ここのお屋敷に滞在中は私とエマがお世話することになったのですよ」

「このお屋敷には最低限の使用人しかいないそうです。おかげで私たちを呼んでもらえたのですが……」

マーサとエマの言葉に、やっとクリアになってきた思考回路で状況を把握《はあく》する。

砂漠のビアン国では付き人が制限されていたけど、ここでは違う。いくら魔力操作で自分のあれこれが出来るといっても、行き届かない部分があることは昨日知ったばかりだ。

「わかった。ここにいるあいだに、みだしなみのべんきょうする！」

「お嬢様、そういうことでは……いえ、学ぶ姿勢は素晴らしいのですが……」

「さすがお嬢様ですね！」

額を押さえるマーサと目を輝かせるエマ。そんな対照的な二人の案内で、このお屋敷内の食堂へと向かう。

そしてやたら鳥の鳴き声がする廊下を歩いていると、ふと見た窓わくに丸いモフモフたちが鈴生《な》りになっているではないか。

「もふ……じゃない、とりさんがたくさんいる？」

「野鳥にしては警戒心がないですね」

首を傾げる私とエマに、ふとマーサが「そういえば……」と話し始めたその時。

「よう、嬢ちゃん。元気そうだな」

耳に馴《な》染《じ》んでいるその声に思わず顔をあげて、そのまま魔力を身に纏《まと》う私を素早く抱き上げる温かい腕と、顔をくすぐるふんわりとした羽毛。

ああ、この御方は……。

「おひさしぶりです。おししょ」

「ああ、久しぶりだな。真名《まな》で俺を呼ばなかった期間について、たっぷりとオハナシしようか？」

「……あいぃ」

相変わらずのモフモフ羽毛マントが気持ち良すぎるお師匠様に、しっかりと連行《だっこ》される幼女でございましたとさ。

とはいえ、具沢山のスープと焼きたてふわふわパンの前で幼女は無力でございまして。

笑顔が眩しいお師匠様の横で、まずはしっかりと朝ごはんを食べるよ。

「前はもっと小鳥の胃袋みたいだったけど、だいぶ食べるようになってきたんだな」

「ビアン国でもよく食べていた」

「へぇ。あの国の食事が口に合ったのか？」

「予言の巫女とやらが、新たな調理法を広めているらしい」

「なるほどな」

お師匠様とお父様の会話を聞きながら、ひたすら食べる私。珍しくお腹がすいているから、どんどん入っていくのだ。

それでも同年代と比べるとぜんぜん食べていないし、体も小さめとのこと。ぐぬぬ成長期ガンバレ。

お祖父様とお祖母様は早朝のお仕事とやらで、お屋敷を不在にしている。

昨日遊ぶ約束をしたような気がするけど……お仕事ならしょうがないよね。

「ところで外のアレはペンドラゴン、お前か？」

「アレ？　……ああ、いや、俺じゃないな」

「ならば母上……ナディヤ殿か」

「その呼びかたは何だ？」

「今は冒険者としてユリアーナの護衛をしてもらっている」

「なるほど。だからいつもの二人がいないのか」

お師匠様の言葉に、いつの間にかオルフェウス君とティアがいるのが当たり前になっていたんだぁと嬉しく思う。早く港町で合流したいところだ。

デザートのフルーツをエマに取り分けてもらっていると、すでに食後のお茶を飲んでいるお師匠様が「さて」と言って私を見る。

おおう、さては説教タイムですね？　了解です。

ぷるぷるしながら目を閉じていると、頭に大きな手で撫でられている感触が。

「ふぉ、おししょ？」

「よく頑張《がんば》ったな、嬢ちゃん。ランベルトから話を聞いた」

「ベルとうさま？」

そっと目を開けてみれば優しい表情で私を見下ろすお父様と、苦笑しているお師匠様が見える。

「ビアン国では大活躍だったと聞いているぞ。ビアン国王からの信頼も得たっていうし、外交の才能もあるんじゃないか？」

「彼の国の巫女たちも、ユリアのことを褒めていた」

おおう、お師匠様とお父様という二人の美丈夫《びじょうふ》から交互に褒められると、なんともくすぐったい気持ちになるね。えへへ。

「別に俺を呼ぶかどうかなんて気にしてねぇよ。ちっとは寂しいけど、それは弟子の成長だから喜ぶべきことだしな」

「おししょ……」

「ただ、魔力に関しての報告はするべきだった。次からは気をつけろよ」

「あい！　おししょ！」

いい返事をする幼女に、お師匠様は苦笑しながらも頭を撫でてくれた。力が強めなのでぐわんぐわんしますよ。ぐわんぐわん。

「きゅーっ！（主よ！）」

撫でられたことにより目を回していると、どこからともなく茶色の毛玉が飛び込んできた。おお、その声はモモンガさん。おはようございます。

「きゅきゅっ！（目を回している場合ではないぞ、主よ！）」

そう言われましても、ちょっとこちらも色々とありましてね。

てしてしとモモンガさんの前足でおでこを叩かれた私は、ようやく正常な感覚に戻ったところで「とある情報」を投下されるのだった。

6　魔女という存在を知る幼女

モモンガさん曰く。

私たちが船で進む海路に『魔女』が出るという噂が流れているそうな。

そしてその情報は、窓ぎわで鈴なりになっている小鳥さんたちから得たものだそうな。外の様子に納得したお父様が、マーサに木の実や果物を与えるよう言ってくれたよ。

気遣いのできるお父様は素敵です!!

「何事においても対価は必要だ。それに多めに支払えば次も有用な情報を得られるだろうからな」

ちょっぴり（?）腹黒なお父様も素敵です!!

ところで……。

「まじょって、まほうをつかうひと?」

こてりと首を傾げる私に、お師匠様が疑問に答えてくれる。

「いや、魔女っていうのは『魔』の血を持つ女性のことだ。……ああ、嬢ちゃんは王都住みだから馴染みはなかったか。神殿や薬師《くすし》の少ない地域には『魔女』がいたりするぞ」

「わるいひと?」

「いや、それは『魔女』によって違うな。特性っつーのがあってだな……」

お師匠様の説明では、太古の昔『魔族』と呼ばれる者たちがいて、彼らの血は魔法を超える技術を多く生み出したそうな。

しかし過ぎたる技術は世界を崩壊させるほどの力を持っていて、彼らの血は神々によって全て滅されたという。

それでもわずかに残った一滴の血まで、神々は滅することは出来なかったらしい。だから現在、ごく稀《まれ》に先祖返りで『魔女』になれる血を持って生まれる子がいるとのこと。

あ、そういえば砂漠のダンジョンのことを調べていた時、古代の技術云々って説明が出てきたっけ。

よく考えたら魔法の世界なのに妙に科学を感じさせるものがあったり、不思議だなぁと思っていたんだよね。

ちょっと待って。私はそんな設定を作っていないよ？

先日カイナお祖母様の絡みで、ようやく神様っぽい存在に会えたのに、うっかり「私がこの世界にいる理由」を聞き忘れていてさぁ……。

それに気づいた時はかなり落ち込んだっけ。お父様とモモンガさんには心配かけてしまったよ。反省だよ。

精霊界の『記憶乃柱《ログライン》』で調べるのは危険だから、知りたくても深掘りするのを控えていた案件だったのになぁ……ぐぬぬ……。

そのあたりが判明すれば、前世で書いていた小説の設定をやたら忘れていることとか、魔力が高いくせに無双できずヘッポコ幼女でいる理由とかも分かりそうなのに……。

ティアが神様と交信できそうだけど、まさか私の前世の話を言うわけにもいかないし。その辺を打ち明けるかは、もうしばらく先送りしたいところです。はい。

思い出しぐぬぬをしている私に、お師匠様は魔女の説明を続けてくれる。

「ほとんどの魔女は穏やかだ。有名なのは『森の魔女』で、評判のいい薬師の多くはそれだな」

あ、それなら知ってる。というか私が書いた小説の設定にもあるやつだ。私が前に作ったポプリとかも、薬師さんたちが使っている材料だったりするからね。

神様たちは『魔』の血を絶やすことはしなかったのか、逃れた血があったのかは不明だけど、とにかく『魔女』についてはなんとなく理解した。

でも船の海路に『魔女』が出るって、いったいどういうことなんだろ？

「海に出る『魔女』といえば『セイレーン』だろうな」

「セイレーン！」

それなら知ってる。

海に出る人たちを歌で魅了して、船を沈ませたりする女性の姿をした……ああ、だから『魔女』なのね。

ネタを思いついたらそれを設定に入れているのだけど、小説を書いていた時は物語の中でどういう流れになるのかまで深く考えていなかったなぁ。竜族しかり、エルフしかり……だ。

うん。それで行き詰まったり、編集氏が急に無茶振りしてきたりして、設定が塩漬けになることもしばしばだった。

くそう！　塩漬けしすぎたら、いざ使うときに塩抜きが大変なんだぞ！　そのまま使って大変なことになっても知らないんだからね！

前世（ラノベ作家）の愚痴《ぐち》は置いておくとして。

海に出る私たちの安全を守るため、モモンガさんが情報収集をがんばってくれたことは確かだ。

お父様の膝の上にいる私の、そしてさらに私の膝の上にいるモモンガさんを、敬意を込めてモフることにいたします。モフモフ。

「きゅー（主のためであるからな）」

「ありがと。モモンガさん」

モフモフ撫でる私を微妙な表情で見ていたお師匠様は、お父様へ視線を向ける。

「さて、どうする？」

「東へ向かうことは決まっている」

「だよなぁ……。それでも『セイレーン』は厄介だぞ」

「ユリアの望んでいることだ」

頑《かたく》なお父様に、お師匠様は助けを求めるように私を見る。

うーん。でも、その『セイレーン』を見てみたいという好奇心がですね。

「嬢ちゃんはダメか。しょうがねぇな……できるかぎりのことはしてやるよ」

「頼む」

珍しく殊勝《しゅしょう》な態度のお父様に対して、お師匠様は「よせ、背中がムズムズする」と身震いしている。

なにやら私のわがままのせいで申し訳ないです。

でも、ふんど……東の国には行ってみたいのです。

ところで疑問なのですが。

「おししょ、なぜここに？　ごようじですか？」

「嬢ちゃん今さらかよ。俺はランベルトに依頼されて、船に魔法陣を刻みに来たんだ」

「まほうじん？」

首をこてりと傾げる私の頭を、お父様がやさしく撫でてくれる。

「海は危険だ。父上と母上が船を手配しているが、それでも安全であるとは言い切れない。ペンドラゴンに魔法陣を刻むよう依頼したのだ」

「いらい……まほうじんを……」

私のお師匠様であり、国一番の実力を持つといわれる宮廷魔法使いペンドラゴン。

どのような理由があったとしても、彼を動かすことは一国の王であってもまかりならん！　とされているらしいよ。お父様。

「私の唯一《ゆいいつ》であるユリアの安全を確保することは、国ひとつ消えたとしても必要なことだ」

ダメですよお父様。国は大事ですよ。

お父様の海よりも深い過保護っぷりにドン引きしていると、苦笑したお師匠様は穏やかな口調で言う。

「馬車の件もそうだし、今さらだろう。俺は気にしてない……というか船の魔改造は初めてだから、ちょっと楽しみだったりするんだ」

「おしじょ……」

船の魔改造って……お祖父様たちの手配した船を買い取るってことになるのかしら？

馬車はお屋敷にあるものだったけど、さすがに船を買うとなると……。

どれだけお金がかかるのか分からないので、ちょっと怖いですお父様……。

7　洗練された動作に拍手する幼女

お金のことに関して身震いをしていると、ふと斜め左後ろに気配を感じる。

いつもは気にしないのだけど、なぜかお父様の右後ろにいるセバスさんとまったく同じ匂いがするのですが。

「だれ？」

「名乗りが遅れまして申し訳ございません。私、本邸で執事長を務めておりました、セバス・アヒムと申します」

「せんだいの、セバシュ？」

「はい。私のことはアヒムとお呼びくださいませ、お嬢様」

驚いた。

セバスさんとまったく同じ、心地よい空気《におい》を感じるのに、外見が若い！　若すぎる！

もしかしたらセバスさんの息子さんくらいの年齢ではなかろうか？

脳内でさまざまな憶測が駆け巡る中、アヒムさんの耳の長さに気づく。

「アヒミュは、エルフ……？」

「……はい。さようでございます」

驚きと発音しづらい名前のため、盛大に噛む幼女。うう、いまだに「セバス」が言えない件について。

そしてちょっとだけ肩が揺れたのを、幼女は見たよ！　笑ったな！　うわーん！

「お嬢様、アヒムはエルフの血をひいておりますが『セバスの一族』なのですよ」

「おいおい『セバスの一族』とか軽く言ってるけど、フェルザー家が秘匿《ひとく》していることを俺も聞いてていいのか？」

「かまいません。ペンドラゴン様は身内と同じように対応するよう、旦那様から申しつけられておりますので」

「ラ、ランベルト！　お前、俺のことをそんな風に……」

「お前を家族の扱いにすれば、自動的にユリアを護る人間が増えるだろう？」

「あー、そういうことか。言われなくても弟子のことは護るし、俺の奥さんも自分の子みたいに思っているからそこは心配すんなよ。まぁ、お前とは学園の時から長いこと絡んでいたし、もう兄弟みたいなもんだろ」

「……そうか」

あ、お父様がちょっと照れてる。

そして照れるのはいいのですが、膝に抱っこしている私をぎゅうぎゅう抱きしめられるとお腹が苦し……ふぐぅ……。

「旦那様」

「む、すまん。ユリア、茶を飲むといい」

「あいー」

少し慌てたお父様に、ぬるめのハーブティーを飲ませてもらう。ほほう、カモミールですね。

「まさか坊っちゃまがここまで子煩悩《こぼんのう》になられるとは……」

「ええ、旦那様は……本当にお嬢様を慈《いつく》しんでらっしゃいますので……」

前執事長と現執事長が、まったく同じような動作で額に手をあてている。さらに生暖かい目もまったく一緒だね。さすが『セバスの一族』だね。

ところで、なぜエルフのアヒムさんが『セバスの一族』になったのかしら？

「私は先代様……この屋敷ではゲオルク様を先代様と呼ばせていただいておりますが……私と母が行き倒れていたところを助けてもらいまして」

「フェルザー家のお屋敷で働くセバスの名を持つ者は皆、孤児であったり生活に困っているところを救われたのですよ」

アヒムさんはお祖父様に救われたのね。そして、続けて説明するセバスさんにもそういう過去があったということか。ふむふむ。

「みんな、セバシュになるの？」

「いいえ、特殊な訓練を経て、厳選に厳選を重ねて最後に残った者のみ『セバス』を名乗ることが許されます」

なんと！　あくまじゃないのに最強の執事とは！

アヒムさんの説明にワクワクしている私に、お父様から再度カモミールティーが差し出される。

落ち着けということですね。了解です。

するとお師匠様が手をあげている。

「はいはーい。アヒムさん、質問いいか？」

「どうぞ、なんなりとお申し付けくださいませ」

「なんとなくは分かるんだけど、ランベルトの父親を先代と呼んだり呼ばなかったりする理由は？」

「なんとなく分かってくださるとは、坊っちゃまは良いご友人に恵まれてらっしゃいますね」

「坊っちゃまはやめろ。アヒム」

「失礼いたしました。国にある公式文書によると本邸にいた老害……ゴホン、ランベルト様の御祖父様が先代とされております。しかし、あの御方が病で倒れてランベルト様が継がれるまで、ゲオルク様がフェルザー家当主代行を務めてらっしゃったのですよ」

「ああ、なるほどなぁ。そりゃそうなるよなぁ」

お師匠様は色々知っているみたいだけど、私はうっすらとしか分からない。

その時のお父様がどういう心境だったのか、私と血の繋がりがない曽祖父《そう》が老害と言われちゃうくらいのアレだったとか。

でも、お父様が私の頭を撫でる速度が増してるので、そこは深掘りしなくてよさそう。むしろハゲそう。

なるほど。だから本邸で話に出ていた「先代」のニュアンスが、いまいち摑《つか》めなかったわけだよ。

いや、確かにその辺りはスルーしていたけどさ。亡くなった人だし、興味もなかったし……ちょっと申し訳ない気持ちになる。

「ゲオルク様の能力を知ろうともせず、氷の属性を持たないという理由だけで放逐なさった御方ですからね。他国の出身であるナディヤ様のことも……失礼いたしました。もう過去のことでございますね」

あ、この場の全員（モモンガさんを含む）が、うっかり殺気立ってしまったね。

ごめんよアヒムさん。

「お気遣いいただき、ありがとうございます。お嬢様」

おお、心の声が聞こえるとは……さすが先代セバス！

「ユリア、顔に出ているだけだ。アヒムは違う」

え？　今日はずっとポーカーフェイスでいたのに？

ひどいやお父様と頬を膨らませていると、そっとマカロンを口に入れられる。おいしいしあわせシュワうまぁ。

「おいおい嬢ちゃん……もっと修行しような？」

お師匠様まで！　ぐぬぬ！

「ユリアはこのままでいい」

「でも貴族だろ？　これから社交界とかさぁ」

「ユリアはこのままがいい」

「……まぁ、そうだけどよぉ」

いやいや、それはそれでどうかと思いますよ！　負けないでお師匠様！

「あ、それともうひとつ。アヒムさんはエルフなんだし、わざわざ『セバスの一族』に入る必要はなかったんじゃ？」

はっ！　そうでした！

確かエルフ族には独自のネットワークがあるって、ビアン国の遊牧民エルフ族たちが教えてくれたっけ。

こんな隠れ情報を知っているお師匠様すごい！

「いや、これはランベルトからの報告にあっただけだ」

あ、そ、そうでしたか。えへへ早とちり。

「嬢ちゃんが報告しても良かったんだけどな」

ひぇぇ、お許しをー！

思わずお父様にしがみついていると、お父様がやさしく背中をぽんぽんしてくれる。

「それはもういいだろう。ユリアには色々あった」

「ごめんな嬢ちゃん。呼ばれなかったから寂しかっただけだ」

「おししょ、わたしも、ごめしゃいー」

寂しがるお師匠様がちょっとかわいいので許します。

「確かに、アヒムがここにいる理由について私も存じません」

珍しくセバスさんも知らない情報が？　……と思ったけど、普通はいくら仲間でも個人の情報をあれこれ詮索《せんさく》しないものだよね。

お父様を見上げると、首を横に振っている。

「アヒムの主は父上だ。私ではない」

つまりお祖父様は知っているということか。アヒムさんの秘密は、このまま日の目を見ることなく……。

「そのような事はございませんよ。ちょうどよいので許可を得てからお話をいたしましょう」

そう言ってアヒムさんが素早く窓を開けたと同時に、赤髪のムキムキマッチョが飛び込んできた。

「ユリアーナたぁー……」

「しばらくお待ちくださいませ」

まるで子猫のようにお祖父様の首根っこを摑んで持ち上げたアヒムさん。

目で合図を送ったセバスさんに精霊の扉を開かせると、むわっとした空気の出ている空間に放り込み、何か叫んでいるお祖父様に構う事なくすぐに閉じさせた。

「ゲオルク様は湯を使われておりますので、終わりましたら続きをお話しします」

そう言って美しく微笑むアヒムさんに、私は思わず拍手を送ったのでした。

ブラボー!!

8　探検という言葉に心躍る幼女

「まったくあの人は……窓は出入り口ではないと、何度言えばわかるのかしらね……」

「いつまでも少年の心を忘れないってやつだな」

「ペンドラゴン殿、それはただの厄介な大人ですよ。子どものほうが何倍も扱いやすいです。ユリアーナちゃんを見てごらんなさい」

ため息まじりに語る（ちゃんと玄関から入ってきた）ナディヤお祖母様は、お師匠様とそろって私に目を向ける。

え？　そりゃ身体は幼女でも頭脳は残念なアラサーですから、多少は扱いやすいでしょうし良い子でいられますよ？

するとすかさずお父様から頭を撫でられる。

「ユリアは特別だ。アレと比べるな」

「特別、ねぇ……」

何か言いたげな目でお父様を見るお祖母様は、アヒムさんが差し出す紅茶を受け取り「ありがとう。いい香りね」と笑顔で言っている。

こういうところが洗練された淑女って感じで憧れますな。

お祖父様とは違い、しっかりと湯を使って戻ってきたお祖母様は、朝から所用ついでに夫婦そろって魔獣退治をしていたとのこと。

本当に元気がありすぎるご夫婦だね。

「母上、船の状況は？」

「あと数日というところかしら。一応試験運転もしますから、問題なければというところですけれど」

「問題がなければ、ペンドラゴンに魔法陣を刻んでもらう」

「よくやりましたアロイス。ユリアーナちゃんのためにも万全の状態で旅をしなくてはね」

ちょっと待ってくださいお二人とも。

今の話からすると、船から造っているという風に聞こえるのですが？　すでにある船を買い取るのではなく？？？

「安全な船旅のために必要なことだ」

「それに東の国直通の船は一ヶ月後になると聞いて、それなら造ってしまおうってなるでしょう？」

でしょう？　と聞かれてもですね……無邪気に「そうですね！」なんて言えないですお祖母様……。

そして朝の所用というのは、造船の進捗《しんちょく》状況の確認だったのですね。

東の国に行ってみたいと言ったのは私だから、なんとも複雑な気持ちになってしまう。

「私たちは後悔をしているの。今さら何をしても償いにはならないでしょうけれど、少しでもユリアーナちゃんの力になりたいのよ」

お祖母様の言葉に、私は気づいてしまう。

血の繋がりのない不義の子とはいえ、書類上の私はお祖父様とお祖母様の孫なのだ。

それだけが理由じゃないのはわかっている。私を見て、御二方は愛情を持って接しようと思ってくれたのだろう。

だからきっと、その分だけ後悔もしているんだ。

そうだとしたら、私がすべきことは……。

「ありがとうございます。おばあさま」

ちゃんと目を見て笑顔で言うのが、きっと、正しいことなのだと思う。

すると音もなく動いたアヒムさんがドアを開けると、次の瞬間飛び込んできたのは真っ赤な髪のムキムキお祖父様だった。

「ユリアーナたん！　ただいま！　じぃじが帰ってきたぞ！」

「おかえりなさい、おじいさま」

「……っ⁉　孫からのおかえり……だと⁉」

笑顔で挨拶《あいさつ》をすると、なぜかお祖父様はその場に崩れ落ちてしまった。

「嬢ちゃんの大勝利だな」

「当たり前だ。ユリアしか勝たん」

お師匠様とお父様の言葉に、いつから勝ち負けの話になっていたのか首を傾げていると、アヒムさんが軽く手を叩いて涙目のお祖父様を正気に戻す。

「先代……大旦那様、お嬢様に私の生い立ちをお話ししてもよろしいですか？」

「むう？　それは……」

「お嬢様はビアン国のエルフ族と交友がありますから、むしろ知っていた方がよろしいかと」

「おお、そうなのか！　ならば話してやれ！」

「かしこまりました」

優雅に一礼したアヒムさんは、懐から白い小枝を取り出した。

それと同時に、私の膝の上にいたモモンガさんが肩に飛び乗ってくる。

「きゅっ（主、世界樹の枝だ）」

「え？　せかいじゅ？」

驚く私に、アヒムさんは微笑んで頷く。

「さすがですね。そう、これは世界樹の枝です。このお屋敷の庭に落ちたものです」

「それは初耳だな」

「ええ、本邸へのご連絡が遅れまして申し訳ございません。実は、育っていることに気づいたのは最近でして」

ん？　おかしいぞ？

アヒムさんの生い立ちって「放浪の末、この土地に植えた世界樹を見守り育てるために、フェルザー家の『影』になった」という流れを予想していたのだけど？

私が首を傾げていると、アヒムさんは微笑みながら説明してくれる。

「もちろん、植えた世界樹を見守る必要がありましたが……それはフェルザー家に仕えるための建前《たてまえ》のようなものでして」

「アヒムは幼い頃から好奇心旺盛《おうせい》なエルフだったからなぁ。うちの仕事に興味津々《しんしん》だったから、やってみるか聞いたら快諾《かいだく》してくれたんだ」

「行き倒れの母と私を拾っていただいた、ゲオルク様へご恩返しというのもありましたから、一石二鳥から三鳥を狙いました」

なんと！　アヒムさんの欲張りちゃっかりさん！

世界樹を植えてワンチャン育てばいいし、面白そうだったフェルザー家の『影』を務めながら恩返しもしちゃうなんて！

ところで行き倒れていたというアヒムさんのお母さんは、今どうなっているのかしら？

まさか……。

「大丈夫だユリア。アヒムの母親は元気だし、父親と一緒に暮らしている」

「うう、ひっく、げ、げんきなの？」

「そもそも行き倒れていたのも、夫婦喧嘩《げんか》して無計画に家を飛び出したからだ。父上に拾われたのちに和解し、今でも時々喧嘩をしては仲直りしているようだ」

「家族がご迷惑をおかけしております。お恥《は》ずかしいかぎりです」

丁寧に一礼するアヒムさん。

いや、いいよ。ご家族が元気ならそれで万々歳だよ。

悲しい話を聞かされるかと思っていたから、すごく身構えてしまった。ちょっと恥ずかしい。

「ああ、ユリア。今日は少し本邸で仕事をしてくる。その間はどうする？」

「せっかくだから、この屋敷をばぁばと探検しない？　アヒムとセバスが一緒ならきっと大丈夫よ」

「ちょ、おい、じぃじは⁉」

「あなたは執務が残っているでしょう？　私は今日の分をすでに終わらせていますよ」

「何っ⁉　いつの間に‼」

お父様を見れば頷いてくれる。お師匠様も鳥のお姫様（赤ちゃん）のために一度戻るそうな。

それならば、お言葉に甘えまして！

「おばあさま、たんけんしましょー！」

「きゅきゅっ！（我も行くぞ！）」

「モモンガさんも、えいえい、やーっ！」

「きゅー！（やーっ！）」

かけ声をあわせ、天高く拳を突き上げる幼女と毛玉。

そうやってはしゃぐ私とモモンガさんをお父様（ならびに保護者）たちは、あたたかい目で見守ってくださるのでした。

9　探検すれば発見する幼女

「ゲオルクの父君……先の御当主はね、ただ一途に古《いにしえ》の流れを守っておられた御方なのよ。だからたぶん「かわいそうな人」だったのでしょうね」

「おばあさまは、きらいじゃないの？」

「さすがに好きとは言えないけれど、不器用な生き方をする人で……そういうところが少しだけ似ているから嫌いになれないのかもしれないわねぇ」

誰が誰に、とは言わないナディヤお祖母様は、楽しそうに笑っている。

現在の私は、お祖母様とアヒムさん、そしてセバスさんという四人でお屋敷を探検中だ。

ここのお屋敷は本邸の半分くらいの大きさで、なんというか幼女に優しい造りだなぁと思う。

ちょっとした手すりとか、階段の幅とか。

聞けば、お祖父様もお父様も幼い頃に過ごしていた場所なんですって。

「改築を命じたのは先の御当主の奥様でございます。ゲオルク様がお生まれになった時に……と、聞いております」

「ええと、ひいおばあさま？」

「はい。早くに亡くなられたのですが、とても愛情深い御方だったそうです」

なんとなくだけど、お父様にとってお祖父様はとにかく厳しい人だったイメージがあるけど、それは奥さんを早くに亡くしたというのも理由のひとつなのかもしれない。

独り身って、ちょっと心が荒《すさ》みがちだから……なんてね。

「ねぇねぇアヒミュ。ベルとうさまの、ちいさいときをしってる？」

「はい。お小さい時から坊っちゃまはとても優秀でございましたよ」

「ゆうしゅう……」

アヒムさんからお祖母様に顔を向けると、笑顔で頷いている。

「ええ、ゲオルクの子とは思えないくらい、落ち着いた子どもで……ある日「見聞を広げるために冒険者になります」と言ったかと思えば「学園を卒業したらフェルザー家の当主になります」と言って先の御当主の元へ行ったり、とにかくしっかりとした子だったわねぇ」

そう言ったお祖母様は、寂しそうに微笑みながら続ける。

「あの頃は私もゲオルクも、ひとつところに留まれない事情があったのだけど、あの子はそれを察していたのか早くに自立してしまったの」

「ナディヤ様に坊っちゃまを見守るよう申しつかっておりましたが、本当に見守るだけでしたね。おかげでまあまあ優秀な後継者を育てることができました」

お祖母様の隣で、アヒムさんが何かを思い出すように微笑みながらセバスさんを見ている。

なるほど。アヒムさんに育てられたのか……と見上げると、少しだけ頬がピクピクしているセバスさん。おお、珍しい表情だ。

抱っこしてくれる腕がちょっとだけ震えているのは気のせいかな？

「お嬢様、後ほど」

「あい！」

よくわからないけど、セバスさんが困るなら何も聞かないよ。いつもお世話になっているもんね。

それにしても、お父様は子どもの頃からお父様だったのか。そういえば、お師匠様も学園時代に出会った時からお父様は「氷」だったというし……。

「ですが、見聞を広げるための手段が冒険者というのは、坊っちゃまにも子どもらしい部分があったと思いますよ」

「そうなの？　アヒミュ」

「もっと穏便で有効的な手段は他にもありましょう。きっと、ご両親が冒険者であるからだと考えております」

アヒムさんの言葉に、お祖母様は嬉しそうに微笑む。

「そうだったら嬉しいけれど……ヨハンも可愛いけれど大人びているし、子どもらしいユリアーナちゃんを見ると安心するわねぇ」

え、いやいやお祖母様、私自身も忘れかけているけれど中身はアラサーですよ？

「きゅっ（主は外見のみならず魂も若いぞ）」

なんで!!

「きゅきゅきゅっ（以前、精霊界で魂の姿になった時も幼い姿だった）」

モモンガさんの言葉がザクザクと刺さる。

そうだ。考えないようにしていたけど……確かにあの時、私の魂の姿は幼かった。

ということはつまり、前世では歳を重ねるだけで心の成長を怠《おこた》っていたのではないか……という仮説が成り立つと思われてですね。

「お嬢様？」

「セバシュ、わたし、こども？」

「いいえ、お嬢様は立派なレディーですよ」

子どもに言い聞かせるような感じではなく、セバスさんはしっかりと私の目を見て答えてくれた。

「お嬢様はご自分のことだけではなく、まわりの人々を気づかうことができますから」

「セバシュ！」

「きゅふっ（ぐぇふっ）」

ひしと胸元にしがみつく私の背中を、セバスさんは優しくさすってくれる。なんか毛玉が妙な鳴き声をあげていた気がするけど、たぶん幻聴だろう。

そうだ！　今は幼女なんだし、急いで大人にならなくてもいいよね！

前世で成長できなかった分、今世で頑張ればいいだけだよね！　ねっ!!

「ごめんなさいユリアーナちゃん。貴女《あなた》は立派なレディーで、アロイスの唯一ですものね」

「あい！　おばあさま！」

お父様がよく口にする「唯一」というのがよく分かっていなかったりするけど、これからも頑張ります！


避暑用に造られたこのお屋敷は、いたるところに庭を楽しむための東屋《あずまや》があって、それぞれ趣の違うソファーやテーブルがおかれている。

ふと見れば、靴を脱いで上がるような和風な東屋もあったり。

「ここ！　ここで、おちゃをのみたいです！」

「やっぱりユリアーナちゃんは東の国に興味があるのね……アヒム」

「東から取り寄せた茶葉がございますので、後ほどご用意いたしましょう」

「お茶菓子も合わせたものをご用意いたします」

アヒムさんとセバスさんが流れるような執事的連携プレーを披露《ひろう》してくれる。しゅごい。

お茶菓子って、もしかしたら和菓子？　そして床が畳《たたみ》なのか、私、気になります！

ひとしきりお屋敷の中を案内してもらって、東屋でティータイムをする前に世界樹を見せてもらうことに。

肩にいるモモンガさんが、興味深げに鼻をひくひくさせているよ。

「きゅっ（ふむ。精霊の森と同じ匂いがする）」

精霊の森……本邸の庭にある、お師匠様たちが住んでいる森と同じってこと？

モモンガさんの発言に、気を引き締めて背すじを伸ばす。

「お嬢様、どうかなさいましたか？」

「だいじょうぶ」

そう。私は今、セバスさん抱っこで移動している。

なぜならば庭に出て数歩目で盛大に転びそうになったからだ。

「朝から連れ回しちゃって、ごめんなさいね」

「ちょっとふわふわしただけです。おばあさま」

本邸の庭で散歩していて転んでも、不思議と怪我をしないで受け身（？）がとれているのに……おかしいなぁ？

「こちらは本邸にいる庭師よりも人数が少ないですから。行き届かないことがあるようです。見直しいたします」

「頼みますよ。アヒム」

「お任せください」

たぶん幼女のバランス感覚がアレなだけで、ここの庭師さんのせいではないと思う！　気をつけます！　ごめんなさい！

心の中で涙を流しながら、これ以上何かあったら大変なことになりそうだと、今日はセバスさん抱っこで移動することを心に決める。お世話かけます。

庭から林に入っていくと空気が変化したのを感じる。

確かに、精霊の森に近い……ような気がする。ごめん、モモンガさんほど敏感じゃないので正直よくわからないです。

「きゅー（空気中にある魔力の流れを見るのだ）」

なるほど、その手があったか。

目に少し力を入れるようにして意識すると、ふわりと魔力の流れが視えてくる。けれどそれは、ある位置からまったく視えなくなっていた。

む？　もしや世界樹って、エルフ族や精霊みたいに魔力を避ける傾向があるとか？

「きゅっ（うむ。精霊の森と同じ空気になっておるから世界樹も育つだろうし、ここからも精霊界へも行けるぞ）」

な、なんだってー!?

フェルザー家の領地って、色々問題抱えすぎじゃない？

10　安請け合いする幼女

エルフ族が世界樹を守り育てることができたのも、魔力を避けるという同じ特性を持っていたからだろう。

そして、あの塩の町は実際魔力の流れが少なかったけれど、エルフ族はともかく太古の世界樹にとっては根を張るのは難しかったのかもしれない。もしや太古に世界樹が育っていたのは魔力が流れない土地だったとか？　そこに火山が噴火して魔力の流れが変化したとかそういうのかも？

まぁ、世界樹は精霊界にたくさん生えているから、エルフ族はこの先も安心して生活できそうだけど。

アヒムさんについて行くこと数分。なんとびっくり、フェルザー家の庭にひっそりと育っていた世界樹は幹と枝は白いけど、普通の木と変わらないくらい青々とした葉をしげらせているではありませんか。

「しろくない！」

「白、でございますか？」

首を傾げるアヒムさんに、セバスさんが何かを手渡している。

おお、あれは映像を記録する魔道具ではないか。いつのまに撮っていたのだろう？

「あら、なんて愛らしいのでしょう」

「こちらもおすすめですよ」

「あらあらまぁまぁ」

「こちらもどうぞ」

セバスさんがどこから取り出したのか、魔道具をぽんぽん取り出してはアヒムさんに手渡している。そして私はその度にお祖母様から撫でられているのだけど、何この無限ループ。

いやいや、私の映像を流すのおかしくない？

「エルフ族の伝達で世界樹の復活とありましたが、こことは違ってあちらのは葉も白いのですね」

「精霊たちの力を借りて、精霊界にある世界樹の枝を取り寄せたのですよ」

あ、私の映像だけじゃなくて、塩の町の様子も撮ってあったのね。割合的に映っているのがほぼ私なのが気になるけど。

「セバス……そういえば君は特定の精霊と契約したのですね」

「ええ。わかりますか？」

「私は元『影』の長ですから、普通のエルフよりも目も耳も良いですよ」

アヒムさんの言葉にセバスさんは苦笑しながら私を片手抱っこに変えて、空いた手に薄緑色の光を出す。

「旦那様からの命令でして」

「まったく坊っちゃまは、お小さい頃からやんちゃで困りますね」

そう言ったアヒムさんは楽しそうだし、お祖母様を見ればまったく困っていないような笑顔だ。いったい誰が困るのかしら？

「お嬢様もそうですが、時々とんでもない無茶振りをされますから、付いて行くのが精一杯ですよ」

「ペンドラゴン殿もしかり、部下のマリク殿もしかりですが……愛し子であるユリアーナお嬢様に関しては、さすがの坊っちゃま自身も振り回されているようですね」

なんか血は繋がっていないのに似たもの父娘《おやこ》認定されている？

そんな執事たちは放っておくとして、青々とした葉をワッサワッサ揺らしている世界樹へと目を向ける。

「きゅっ（精霊界には色というものは無いからな。ここで運よく芽吹いたものには色が付くのやもしれぬ）」

それはモモンガさんにも分からないことなの？

「きゅきゅっ（検索項目を特定したのち『記憶乃柱《ログライン》』に触れれば分かるぞ）」

あ、面倒そうなので調べるのは却下。

エルフ族たちにとっては、どちらの世界樹も大事にするだろうから気にしません。

「世界樹の周りではうまく魔力が使えないこともあるので、お気をつけくださいませ」

「あい！」

アヒムさんの言葉に元気よく手をあげると、くすりと笑われる。

「おかげで魔力を使ってくる輩《やから》の処理が楽になりました……ふふふ……」

麗しいアヒムさんの顔に悪い笑みが浮かんでいるのは、全力で見なかったことにします!!

気持ちの浮き沈みが激しいお屋敷探索を終えた私たちは、和風な東屋でティータイムをとることにする。

少しだけお祖父様が「ユリアーナたん遊ぼーう！」とやって来たけど、まだ書類の決裁が残っていることを知ったお祖母様に睨《にら》まれてしょんぼりと退場していた。

お仕事終わったら遊ぼうね！　お祖父様がんばって！

靴を脱いで上がったその場所は掘り座卓になっていて、冬は掘った部分に暖房器具を置くんだって。も、もしやそれは掘り炬燵《ごたつ》では……!!

「東のお菓子とお茶を召し上がれ」

「いただきましゅ！」

置いてあるのは緑茶とお菓子。

緑茶の茶葉に関しては、このお屋敷近くに茶畑があるそうで、朝摘みのものを用意してくれて香りがとてもいい。

そしてお茶菓子は羊羹《ようかん》。豆を甘く煮て固める、あの羊羹だ。

「んー！　ん、ん、これ、は……」

あっまーーーーい！　あますぎるーーーーー！

分厚く切ってもらったから、驚異の甘さにひと口食べたらお茶を一杯飲み干す勢いだ。食べきる自信がない。

「海を渡ってくるものですから、砂糖を多く使用しているとのことです。かの国では甘さ控えめのものを出すとか……」

「ユリアーナちゃんは甘いものが好きかと思っていたけれど、もしかして苦手だったのかしら？」

「んん、あましゅぎうぅ……」

舌が回らないくらい甘すぎる！　と悶絶《もんぜつ》する私。

お皿に残っている羊羹をどうしようと思っていたら、ひょいっとテーブルに乗ったモモンガさんが頬嚢《ほおぶくろ》に素早くしまい込んだ。

「きゅっ（人の作る菓子は美味であるから、我がいただこう）」

おお、ありがとうモモンガさん！　助かります！

そういえばお菓子以外にも、ビアン国で食べきれないものはモモンガさんが綺麗《きれい》に平らげてくれていたっけ。

ちなみに本邸お屋敷では、徐々に私が食べきれない量を出さないようになっていた。

余ると（もったいない精神で）申し訳ないと思ってしまう私のために、本邸の人たちが訓練されてしまったからだ。

貴族界隈《かいわい》では「余すこと」がもてなしの美徳みたいになっているからなぁ……。

「こちらの御方には喜んでもらえたようね。おかわりは？」

「きゅ！（いただこう！）」

まるで会話でもしているかのようにお祖母様とやり取りするモモンガさん。

その光景をぼんやりと見ていると、アヒムさんが何やら紙の束を持ってきた。

「こちらが用意している船の外観となります」

おお、前の世界でよく見た、大航海時代のガレオン船（？）みたいなやつだ。

なぜ知っているのかって、某ワンダーランドな施設を取材したときに教えてもらったからである。

「ユリアーナちゃんにお願いなのだけど、船の名前を考えてほしいの」

「あい！　おまかせあれー！」

調子よく引き受けた私は、しばらくした後に思い出す。

己が持つ、圧倒的なネーミングセンスの無さを……。（つづく！）

◇氷の侯爵様は幼女の笑顔が見たい

両親に任せている領地の屋敷に到着した翌日、ペンドラゴンと共に本邸へと戻る。

ユリアを残していく流れに、学園時代からの腐れ縁の仲である男は、大げさに驚いてみせた。

「まさか、お前が嬢ちゃんとすんなり離れるとはなぁ」

「……セバスも、アヒムもいるからな」

「確かに、研鑽《けんさん》することを怠らない長命のエルフっつーのは正直怖いが……そこまでか？」

「ああ。しかも世界樹の近くにいるエルフ族は、個という枠から外れて力を発揮することができる。ユリアはエルフ族にとって救世主だから必ず守るだろう」

「報告にあったアレか」

精霊界にあるものを持ち出すには精霊王の許可が必要となる。そこにあった世界樹を苦もなく手に入れることができるのは精霊王の主であるユリアーナ、ただ一人だ。

私でさえ己の契約精霊経由か、仮とはいえ精霊王の主であるユリアーナに請わねばならないのだから。

「それにしても……精霊ってやつは、魔法陣を使わず移動できるなんて本当に便利だな」

「これは精霊持ちだから出来るわけではない。ユリアがいるからこそ使用を許されているだけだ」

「マジか……こりゃ本格的に嫁に出せないな……」

「この件が無くとも、嫁には出さん」

「いや、そこは頑張って出してやれよ……」

もう何度このやり取りをしただろうか。

さすがに私も理解している。いつかはユリアとの別れがあることを。

しかし、あの子が持つ魔力は強大で、エルフ並みとは言わないが長寿となることは決定している。

だからこそ……。

「私やヨハンだけではなく、セバスを筆頭に『影』たちにも匹敵する力を持つ、あの子をひとりにしないような存在がいれば考える」

「そんな人間いるのかよ……しかも考えるだけかよ……」

もはや見慣れたペンドラゴンの呆れ顔を無視した私は、本邸から王宮へと移動する。

ペンドラゴンは珍しく同行するとのことで「お前、用が済んだら絶対に俺を忘れて置いて行くだろう」などと失礼なことを言っている。

私が忘れるわけがないだろう。置いていくつもりで置いて行っているだけだと返すと怒られた。

まったく……ペンドラゴンも歳をとって神経質になったものだ。

王宮に着けば涙目のマリクに出迎えられ、山となっている書類を小一時間で処理する。

「お前、普段もこうなのか?」

「ああ」

「前からか？」

「そうだ」

「……嬢ちゃんがいなかった頃は何をしていたんだ？」

「鍛錬《たんれん》」

前ほど時間をかけてはないが、日々の鍛錬は欠かしていない。

体に魔力を流すことだけではなく精霊の力も借りることができるため、短時間で効率よく体の筋肉を鍛《きた》えることができている。

ペンドラゴンにその説明をしたが、精霊については専門外だと言って途中から聞き流されてしまった。

「……これは精霊の話ではない。筋肉の話だ」

「なおさら知らねぇっての！」

「まったく、室長は相変わらず筋肉バ……筋肉一筋ですね」

「マリクお前今、筋肉バカって言おうとしただろ」

「はははいやまさか」

ペンドラゴンのツッコミに対し、笑顔で書類をまとめながら「できれば三日に一回は顔出しお願いします！」といって部屋を出ていった。

彼奴《きゃっ》め、逃げたな……。

まぁいい。用事も済んだことだしユリアーナの元へ戻るかと精霊を呼び出すと、ペンドラゴンから声がかかる。

「おい。やっぱり俺を忘れているだろ。そんでアーサーへの報告はどうした？」

「……どちらも必要ない」

「俺には魔法陣の依頼をしているんだから必要だろが！　あとアーサーにはちゃんと言っておけ！」

さすがにペンドラゴンを置いて行くことは考えていなかったが、なぜここでアーサーが出てくるのか。

この国の王であるアーサーとは学園時代から繋がりがあるが、正直政治に俺が介入する必要がないくらい優秀な男だ。

「アーサーに？」

「いやお前……ビアン国の重鎮からも嬢ちゃんの見合い話が来てたんだろ？　断るならアーサーに報告しておけよ」

「なぜそれを知っている……ビアン国の王に直接断りを入れたから問題ない」

なかったことにした、と伝えようとしたところで、部屋にアーサーの侍従が迎えに来てしまった。

「お前まさか逃げようと思っていたのかよ……」

「……行ってくる」

まったく。私をなんだと思っているのか。

逃げるのであれば、そもそも王宮には近づかないよう仕事をするものだろう。

私は逃げようなどと思っていない。帰ろうとしただけだ。

王宮を歩けば分かる。

やたら風通しが良くなっているのは、ここ数年燻《くすぶ》っていた「残り火」についてアーサーが動いたからだろう。

今回、ユリアーナに集中した婚約の打診や隣国との貿易云々の流れから、派閥の洗い出しが捗《はかど》ったと思われる。

ビアン国で派閥同士の争いがあるのは仕方のない部分がある。しかし我が国では過度な派閥争いは不要であり、「前国王派」と「現国王派」という二大派閥の厄介な確執には頭を悩ませていた。

フェルザー家は中立という立場を守っているが、その理由は王国の『影』という役割があるためだ。それゆえ不要なモノであっても殲滅《せんめつ》するところまでは動けずにいた……のだが。

「しばらく来ない間に、王宮の空気が清々しいな」

「一気に掃除をしたからね。おかげで人手不足なのだよ」

「……そうか。私の力が及ばず申し訳ないことだ」

「いやいやまだ何も言ってないだろう⁉」

「東との貿易を強化するために、明日からランベルト・フェルザーが出向する。諸々の許可証と出国の手続きを早急に頼む」

「あーもー、わかったよ！　その代わり定期報告は欠かさないようにね！」

謁見《えっけん》の間から応接室へと場所を替えた私とアーサーは、いつものように人払いをして「報告以外の雑談」をしている。

その内容とは、とてもじゃないが表に出せない情報だ。例えるならばアーサーは他国で出された料理に苦瓜《にがうり》が出てきたら戦争しようと思うくらい嫌い、みたいな話だ。

とはいえ、許可証や出国の手続きは謁見の間でも申し出ていたが、ここでも言わせてもらった。大事なことは二回言うべきだとユリアーナも言っていたからな。

「それで本題なんだけど……ユリアーナ嬢の婚約打診はすべて断っていいんだよね？」

「……どこからだ？」

つい、持っているティーカップを粉砕しそうになり、なんとか魔力を抑え込むことに成功する。私も成長しているのだ。

「ビアン国からだよ。あちらの国王が打診を受け付けないからと、王宮に出入りしている商人経由で来ていたよ。もちろん持ってきた人間とは手を切ったから安心してくれ」

実は彼の国を出発する直前に、ビアン国王とアケトから婚約打診の話は聞いていた。きっと商人たちが伝手《つて》を使って捩《ね》じ込もうとするだろうから気をつけろ、と。

今回はアーサーがうまくやってくれたようだが……。

「ユリアへの婚約打診については、断るだけじゃなく家ごと消し炭にしてくれていい」

「火魔法よりも光魔法のほうが得意なんだけどなぁ……」

「……で？　どこから来た？」

「名前の一覧表は君の息子君に送ってあるよ。当主代行だからいいかなって」

「ああ、ならばヨハンに処理をさせるか」

「息子さんに何をさせようとしているの⁉」

失礼な。私が息子に非道なことをさせるわけがない。なぜならフェルザー家は私の代で大きく改革をしたのだから。

「まぁ、変化することは良いことだね」

「……そうだな」

しみじみ話し合った後、すぐにユリアーナのいる場所へと移動した私は、しっかりと置いて行ったペンドラゴンに文句を言われるのだった。

11　情報を出し惜しみする幼女

夕方になって、お父様が戻ってきた。

おかえりなさいの挨拶と、世界樹を見に行ったと報告したところ「……そうか」と言って頭を撫でてくれたよ。

いや、褒められるようなことは何ひとつしていないのですが。

「きゅ？（おとなしく待っていたからではないか？）」

落ち着きのない子どもみたいな扱いするんじゃないやーい。

ちょっとイラッとしたので、モモンガさんの毛皮のふんわりした部分を撫でまくってペタッとさせてやる。

「きゅ！（やめよ！）」

ダメです。罰です。

すると私の撫でる手をやんわりと摑んだお父様は、そのまま抱っこして庭へと向かう。

「セバス、後は任せた」

「かしこまりました」

お父様の言葉に一礼したセバスさんは、緑の光を放ち精霊の移動を使って姿を消した。何かあったのかしら？

「ペンドラゴンを迎えに行かせた。調べものをしていたので置いてきた」

おぅふ。お師匠様を置いてきちゃったのか……怒っていないといいけど……。

「海に出る魔女について調べるように依頼をしている」

「まじょ！」

魔女は森に多く住んでいるっていうけれど、海に住む魔女は特殊で人魚という種族と同一視されることもあるという。

お師匠様が調べているのはここ数年の出現情報とのこと。

「書庫の資料もそうだが、王宮には人魚と取引をしている変わり者の魔法使いもいる。ペンドラゴンなら伝手があるからな」

「おししょの、しごとなかま……」

あのお師匠様が和気あいあいとお仕事をしているイメージがなかなか浮かんでこない。魔法使いは変わり者が多いというから、変わり者代表のお師匠様と似たもの同士で仲がいいのかもしれない。

「魔女は気まぐれな者が多いと聞くが、海の魔女は波のように変化が激しい特性を持つという。滅多に遭遇することはないが、気をつけるに越したことはない」

「あい！　きをつけます！」

とはいえ、そうそう出会うことはなさそうだけど……。

私を抱っこして歩くお父様が向かう先は、どうやら世界樹がある場所らしい。

アヒムさんが一緒じゃなくても大丈夫かな？

「許可は得ている。それに、ユリアと毛玉が一緒ならばアヒムの同行は不要だ」

「そ、そうですか」

ここは信頼されていると喜ぶべきか、普通のご令嬢からどんどん遠ざかっているのを嘆くべきか……。

日が落ちたから暗くて何も見えないかと思ったけど、世界樹の青々とした葉が仄《ほの》かに光っているため、この庭の中では圧倒的な存在感を放っているよ。

「ほう、これは……エルフの町や精霊界にあるものとは違うようだな」

「いろがついています」

「アヒムは他のエルフたちに伝えているだろうから、ここの葉を研究のためなら数枚ほど持ち出す許可を出そう」

「きょか、ですか？」

「フェルザー家の領地にあるものは、領地の外へ持ち出すことを禁じている」

なるほど。確かにそれは当たり前のことだね。

エルフさんたちの悲願だった世界樹の育成だとしても、他領のものを持っていったら窃盗《せっとう》罪になってしまう。

「なぜここで育ったのかは不明だが、それをエルフたちが解明することをフェルザー家は支援する」

「ベルとうさま……」

「支援するだけだ」

ツンとした表情で言い放つお父様が、なんだかかわいく見えるよ。立派な大人の男性なのに……変なの。

お師匠様が戻ってきたのは夕食中だった。

こんな遅くまで色々とすみません。

「ユリア、ゆっくり食べなさい」

「むぐっ！」

慌てて口の中にポークソテーを詰め込んだら、お父様に注意されてしまった。だってお師匠様の話が気になるんだよーう。

お祖父様とお祖母様たっての願いで、この時間はこれまでの旅の詳しい内容や、北の山にあった竜のダンジョンのことをお父様と二人で話している。冒険者でもある御二方だから、これまでの話を聞きたいとのことだった。

高ランク冒険者との質疑応答って感じで、まったく寛げないディナータイムになっているよ。

あと、オルフェウス君とティアについて、お父様とセバスさんが報告していた。護衛の心得って大事なんだね……セバスさんとアヒムさんも深く頷いていたから、二人にとってこれらの学習は必須なのかもしれない。

そんなカチンカチンな空気を吹き飛ばしてくれたのは、夕食に途中参加したお師匠様だ。感謝感謝でございます。

「情報は得られたか？」

「昔の借りをかえしてもらった。魔女の秘密は外に漏《も》らせないが、特殊なやり方で手に入れたぞ。ランベルトに渡しておく」

「わかった。ならば今回の件では私が借りておこう」

「必要ねぇよ。フェルザー家には恩がたんまりあるからな」

精霊の森に移住することや希少種族の後ろ盾《だて》になってくれていることなど、お師匠様は次々に並べていく。

「あらあら、他所《よそ》事に興味のなかったアロイスが、成長したものねぇ」

「これもユリアーナたんのおかげかぁ？」

涙ぐむお祖母様と、私を見てかかと笑うお祖父様に、慌てて首を横に振る。

「なにもしていないです！」

「いや、ユリアが天使であるおかげだ」

お父様の天使発言も意味不明です！

そんな私たちの様子を気にする事なく、お師匠様は封をされた巻物を取り出し、お父様にそっと手渡した。

「これ、お一人様限定だからな。読んだら燃えて灰になるし、誰かと一緒に見たら読む前に灰になる。封を切る時は気をつけろよ」

確かに海に出るメンバーの中で、必要な情報を持つのはお父様が適任だろう。次席はセバスさんかな。

私？　私は幼女なので最下位ですが何か。

「では今すぐ確認してこよう。セバス、ペンドラゴンの食事を頼む」

「かしこまりました」

「父上、母上、中座させていただきます」

「おう」

「いってらっしゃい」

もともと身内だけの場だから許されるのだろうけど、普通はこんなに緩くないはず。

口の中にあるポークソテーを味わいながら、私はお父様が「何を知るのか」を予想する。

なにせ、前世で私が設定したものが反映されているとしたら、きっと海の魔女は……。

「さて嬢ちゃん。何を知っているのか話してもらおうか」

「え？」

「ランベルトに手渡してたものは間違いなく本物だが、俺は嬢ちゃんの『知識』が気になるんだよなぁ」

「えー？」

なぜ突然そんなことをお師匠様から問われるのだろうか。

私は何も言っていないはずなのに……。

「ユリアーナたんは顔に出るところが愛らしいなぁ！」

「ええ、ユリアーナちゃんは素直で正直なお子様ですもの」

「えーっ⁉」

慌てる私の姿を、お祖父様とお祖母様は不思議そうに見ている。

ど、ど、どどどうしよう！　私の前世とか話さないとダメなのかな⁉

「きゅっ（落ち着け主よ。『世界の理《ことわり》』については、氷の許しを得てから話せばよい）」

あ、そっか。そっちか。

でもまぁ、この人たちになら何を話しても大丈夫そうだとは思うんだけどね。

12　なぜと問われても答えられない幼女

冷や汗をダラダラ垂らしていた私は、モモンガさんの助言により落ち着くことができた。

あぶないあぶない。言わなくてもいいことまで言うところだった。

「父上、母上、戻りました」

「おかえり」

「スープが冷めてしまったから温めてもらいましょうね」

軽く返事をするお祖父様は、分厚いステーキをすごい速さで食べてお代わりをしている。すごい
……成長期の若者みたいな食欲……。

お祖母様は優雅にナイフとフォークを動かしながら、お父様の食事を温めるようアヒムさんに指示している。こういう気づかいができるのが淑女の鑑《かがみ》って感じで素敵だと思う。

戻ってきたお父様は私に視線を送ると、すぐにお師匠様を睨みつける。

「ユリアに何を言った？」

「察しが良すぎ！　別に変なことは言ってねぇぞ！」

慌てるお師匠様が面白くて、つい笑ってしまう。

お父様が心配してくれるのはありがたいけど、お師匠様はずっと私を見てくれている人だし、多

少のことは気にしないんだけどなぁ。

「……ユリアにあまり無理を言うな。子どもに頼らねばならぬほど、ここにいる大人たちは不甲斐《ふがい》ないと思われてしまうぞ」

「悪かったよ」

しょんぼりするお師匠様を他所に、私はお父様に声をかける。

「ベルとうさま、だいじょうぶです」

「しかしユリア……」

「おしょには、おせわになっています」

大丈夫だと伝われーと念を送りながら、ちょっとあざとい上目遣いで訴えてみるよ。

しかし、そろそろ幼女パワーも弱まってきたのではないかと……。

「ユリアがそう言うのならば」

あ、ぜんぜん強いままでした。幼女パワーはフォーエバーでした。

食事中なので頭を撫でられただけで終わったけど、これはワンチャン抱っこからのデコチューもあったかもしれない。なんてね。

「それは後でだな」

「!?」

なぜこういう心の声を読んじゃうのですかお父様ー!!

食後のお茶の時間、私とお父様とセバスさんとお師匠様というメンバーで別室に集まっている。

別に聞かれて困ることはないと思うんだけど、お祖母様は「私たちは私たちの役割があるのよ」と言っていた。たぶん気をつかってくれたのだろう。

ちなみにお祖父様は、まだ書類仕事が残っているからとアヒムさんが笑顔で引っ張って行ったよ。事務系の処理速度に関して、お父様はお祖母様似なんだね……きっと……。

「さて、許しがあったことだし遠慮なく聞くぞ。まずは嬢ちゃんの知っている『セイレーンの情報』を教えてくれ」

「まじょ？」

「いや、そうじゃない。嬢ちゃんは魔女のことを知らなかっただろう？」

確かに、私の設定には魔女という存在はいなかった……はずだ。

もしかしたら何かにチラッと出したかもしれないけど、それが魔女と明記されていたのかは、あの担当編集者のみぞ知るってやつだ。

「えっと……セイレーンは、うたをうたって、ふねをしずませる。あと、おとこのひとをゆうわくするために、はだか……」

「あー、もういい。大丈夫だ。これ以上はランベルトが危険だ」

なんですと？　ここからがいいところなのに……。

途中で止められたから、とりあえずセバスさんの淹《い》れてくれたお茶を飲んでひと息つくことにする。

昼間に飲んだ緑茶とは違う、香ばしい風味のほうじ茶だ。これも落ち着くわぁ。

「嬢ちゃん、弱点は分かるか？」

うーん、弱点かぁ。ギリシャ神話だと確か……。

「うたとか、おんがく？」

途端に静かになる室内。

私の口もとにクッキーを差し出されたので、パクリと食べる。焼きたてのサクサク感とバターの風味がたまらない。

「あー、俺は横笛なら少々ってところだな。嫁さんに結婚を申し込む時に必要だった」

「私めは楽器はひと通り……可もなく不可もなくといったところでございます」

視線がお父様に集まる。

「……嗜《たしな》みとしてリュートを少々」

な、なんですって!?

脳内にお父様がリュートを爪弾く（なぜか）半裸状態の美しい御姿が浮かんでしまい、思わず叫びそうになったけど我慢した。

お師匠様を見ると微妙な表情をしている。

「ランベルトのは少々ってもんじゃなかっただろ。俺の横笛の伴奏とかもやってくれたし、絶賛されていたぞ」

「昔の話だ」

ちょ、まさかお父様とのセッション（？）ですか!?　お師匠様が鳥の奥様にプロポーズした時の

こととか⁉

そこんとこ詳しくお願いしたく‼

膝抱っこされている私が鼻息荒く見上げると、少し困ったような表情をしているお父様がいらっしゃる。

「ユリア……」

ぜひ演奏を聴かせてくださいまし！　お父様！

「……いつか、な」

絶対ですよ！　お父様！


翌日の朝、食堂のドアを開ければ、突如目の前に仁王立ちをしているお祖父様が。

驚きのあまり魔力暴走を起こすところだったよ。

「……父上、朝からうるさいです」

「なぜだ⁉　声を出していないのにぃ⁉」

「存在が」

「理不尽‼」

抱っこされている私は固まっていたけど、お父様は身内にも容赦なく戦闘態勢になっているよ。

ちなみにセバスさんは通常モードだった。さすセバ。

朝食はどうなっているのかと覗《のぞ》いてみたら、テーブルには何も用意されていない。

「急ぎ確認してほしいことがある！　ついでに朝の市場で朝食と洒落《しゃれ》込もうではないか！」

「……確認とは？」

「船が出来たぞ！　ユリアーナたんのために造った愛情たっぷりの船が！　遠距離攻撃できるような武器もしっかりと積んであるぞ」

「え？」

お祖父様の言葉に、私は思わず声をあげてしまう。

なぜ攻撃用の武器を？

「海賊が出ることもある」

お父様の言葉に納得する。確かに海は危険がいっぱいだよね。魔獣とかも出るかもしれないし。

「それに東の国が兵を出してきたならば、応戦せねばなるまい！」

ちょ、ちょっと待って!?　貿易のお話をしに行くんじゃないのー!?

13　世界の中心に立たされていた幼女

私が考えていたのは、前世によくある「優雅な船旅」といったものだった。

まさかこんな物々しい旅になるとは……。

「父上、過剰な攻撃用魔道具などは積みません」

お父様の静かな声に、私はホッとする。

そうだよね。貿易の話をしに行くのであって、戦争しに行くわけじゃないもんね。

「なぜだ⁉　天使のユリアーナたんを守るためには、国を滅亡させるほどの武力や戦力が必要だろう⁉」

「それは私とセバスとペンドラゴンがいれば可能です」

あ、お父様たちなら武器とか無くても可能なんだ。

じゃなくて！

助けを求めようと振り返れば、やれやれと言った様子でお師匠様が口を開く。

「ゲオルク殿、お孫さんが心配なのは分かりますが、我々のことを信じてくださいよ」

「国一番の魔法使い様がそう言うなら、信じて送り出してやってもいい……かもなぁ」

お師匠様の言葉に、お祖父様も安心してくれたみたい。

よかった。お師匠様がいてくれたら、きっとお父様も冷静に東の国と「貿易」のお話ができるよね。

「何かあれば、即時に妻へ連絡が入るようになっています。すべての獣人族が参戦するのでどうかご安心ください」

ちょっ、まっ、お師匠様ぁーっ⁉

「ペンドラゴンよ。エルフ族や竜族も、ユリアのためならば動くと聞いている。戦力的にはまったく問題ない」

「それは心強いな！」

いやそれ問題ありまくりですから――!!

あまりの会話の流れに言葉に出せずにいる私は、涙目でセバスさんを見ると、とても穏やかな微笑みで「ご安心ください。何かあればの話ですので」って返されたよ。

いやそれまったく安心できませんから――!!

ああ、どうか東の国で（私に対して）何も起きませんように……。

朝から何もしていないのに疲れ果てた私は、港町へ向かう馬車の中でお父様にお膝抱っこされている。

ひとりで歩く気力が、まったく湧《わ》いてこないのですよ。うへぇ。

「ユリア、屋敷に戻るか？」

「ちょっとやすめば、だいじょうぶです」

「そうか。無理はするな」

これから市場で朝食をいただいて、造船所に完成した船を見に行く予定だ。

さすがに今回の旅だけのために造ったわけじゃないと思う。でも、私たちだけの船ってロマンがあるよね。

「これを機会に東の国との貿易を強化させたいと思っている。今回は国王陛下の許可を得て、フェルザー家当主であり国の代表として訪問するのだから、体裁を整える意味でも船は必要だ」

なるほど。

確かに東の国から入る品物は少ないし、船の行き来もほとんどないって話だったもんね。貿易が強化されたら、珍しい品物も多く入ってくるだろうから楽しみだなぁ。

今回の訪問で、もし出来たらお土産とか持って帰りたい。お兄様やお屋敷のマーサとエマや庭師《かげ》さんたちに、お父様の部下のマリクさんと騎士隊長のダニエルさん。それにイザベラ様やアデリナ様にも……。

ビアン国からの品物は簡単に送れるけど、東の国からだと難しいんだよね。

「あたらしいふねには、にもつ、たくさんのりますか？」

「もちろんだ。必要なものは購入するから言いなさい」

「ベルとうさま、ありがとう」

えへへと笑うと、口もとを緩めたお父様が優しく頭を撫でてくれる。

「今回の訪問の結果次第で貿易船を増やす予定だ。ユリアも東の品物を好んでいることだし、もっと我が国に取り入れようと思っている」

あれれー、おっかしいなー？

お父様の話、国のためというよりも私のためみたいに聞こえてくるぞー？

目の前に座っているセバスさんを見れば、さっきとまったく同じ微笑みで「ご安心ください」と言われてしまった。

もう！　お父様の暴走を止めるお仕事もしてくださいよー！

ちなみにお祖父様はお師匠様と一緒に別の馬車に乗っている。お祖母様はお茶会に呼ばれたとかで今日は別行動だ。ちょっとさみしい。

「ほらユリア。港の町と、その向こうに見えるのが海だ」

「ふぉぉ！　うみー！」

前世の頃から海を見るとテンションが爆上がりしてしまうのは、変わっていないみたいだ。

家族で行った初めての海では、波の力で砂がもぞもぞ足の裏をくすぐる感覚がたまらなく楽しくて。家族と一緒にずっと笑っていた気がする。

海の家で食べる焼きそばとか焼きとうもろこしがおいしかった。かき氷はすぐに溶けて、ただの甘い水になってしまって……。

なぜ急に前世のことを思い出したのだろう。

異世界とはいえ、海は生命の源であるのは同じだからかな？

「どうした、ユリア？」

「あ、えっと……うみ、およげるかなって」

「結界が張ってある場所なら泳げるが、今は時季ではない」

私たちのお屋敷がある場所は、年間をとおして気温の変化が少ないそうな。でも港町は海から入ってくる風の関係で、一年の中で数ヶ月ほど暑くなる時季があるんだって。

その時は波が穏やかな区域に結界を張って、子どもたちも遊べるようにするとのこと。

海は地上より何倍も危険で、潮の流れによっては並の人間では倒せないような強い魔獣が出ることがあるらしい。ひぇぇ。

「その時季は結界の外に魔獣が集まりやすい。父上と母上が駆除要員として参加すると聞いている」

「おお、おじいさまとおばあさま、つよい！」

「結界の中にある餌《えさ》に引き寄せられる魔獣は、そこまで強くはないがな」

お父様の不穏な言葉に続くのは、その魔獣たちを餌にする上位種の魔獣の出現だった。よくよく考えてみれば、結界内に人間を餌《えさ》として魔獣を引き寄せるなんて怖すぎるんですけど。

でも、これが港町の風物詩でもあるんだって。なんという町の人たちの肝の太さよ……。

馬車のまま市場に入れないので、町の検問所近くにある預かり所から歩くことに。

フェルザー家の紋が入っているからか、管理の人がすごく大きな声で応対していたよ。

ところで、個人的に気になることが……。

「おししょ、おじいさまと、なにかおはなしした？」

「ああ、貿易船をいくつか造るから、魔法陣を刻んでほしいって依頼を受けていた。貿易については陛下も賛成しているし、魔改造しなければいけるだろうな」

「まかいぞう……」

「嬢ちゃんに関わることしかランベルトは動かない。俺一人だと普通の改造くらいしかできないんだよ」

「ふつうのかいぞう……」

もしかしてだけど、旅で使っている魔改造馬車って、国（というか国王）に許可をとる必要があるのではないか説。

私の考えを読んだのか、少し垂れた目を細めたお師匠様はニヤリと笑う。

「まぁ、細かいことは考えなくていいだろ」

それ絶対考えなきゃダメなやつー!!

こんな楽観的な考えでいると後で痛い目に合うって、お約束の流れが来そうだからやめてもろてー!!

14　迷子と言ったら負けになる少女

港町は全体的に建物がカラフルで、本邸近くの町のように外壁がシックな色でまとまってはいない。

船乗りたちが遠くからでも自分の家を見つけられるように目立つ色を塗っているのだと、お祖父様が教えてくれたよ。

町の入り口から(お父様の足だと)そう遠くなくて、海から少し離れた場所に同じような建物がずらりと繋がっているのが市場だった。

前世の魚市場のような大きな建物に店がある感じじゃなくて、海外にある小物や布も置いてあるマルシェという感じ。

もちろん私は迷子にならないよう、お父様の抱っこで移動している……のではなく、今は冒険者ユーリとして歩いておりますよ。ふふーん。

「高原の屋敷には身内しかいなかったが、この町は違うからな。気をつけろよ冒険者ユーリ」

「はい！　おし……ペンドラゴン様！」

つい癖で「おししょ」呼びをしそうになる。あぶないあぶない。

「ちなみにランベルトは？」

「ベル……フェルザー侯爵様！」

「……アロイスになるか」

「ややこしくするな！」

呼びにくそうにしている私を哀れに思ったのか、お父様が妙な方向からフォローしようとしている。落ち着いてくださいお父様。

「冒険者アロイスは、今回護衛任務を終えて高原の屋敷にいるってことになっているんだからな。あまり突発的な行動をとるなよ」

「わかった」

破天荒の代表みたいだったお師匠様が、珍しくまともなことを言っている。たしかに冒険者アロイスの設定はフェルザー家の末席にいるから、高原のお屋敷に滞在していてもおかしくはない。

お師匠様の警告に、さすがのお父様も今回は素直に頷いて……。

「わかった。ならば、ランベルト・フェルザーが冒険者ユーリを養女にすればいいだろう」

「ぜんぜんわかってねぇだろ！」

お父様の天然《ボケ》なのか本気なのかわからない発言に、お師匠様がしっかりとツッコミを入れてくれる。

よかった……お師匠様《ツッコミ》がいてくれて……。

最近セバスさんがお父様の暴走について諦《あきら》めているフシがあるんだよね。そう思いながら恨めしげにセバスさんを見ると、困ったように微笑まれてしまった。

ぐぬぬ！　そんな素敵ロマンスグレーな微笑は卑怯《ひきょう》ですぞ！（スピード敗北）

すると、しばらくキョロキョロとまわりを見ていたお祖父様が問いかけてくる。

「ところでユーリたん。いつも連れている茶色の小動物はどこにいるんだい？」

「今日はウコンサコン……馬車をひいてくれていた子たちと一緒に、お屋敷にいます」

聖獣のウコンとサコンは、海よりも森と相性がいい。砂漠は大地つながりで活躍できたけど、今回の船旅は同行しないことになっていた。

そこで元の森に帰るか他の場所に行くか話し合おうとしたけど、ウコンとサコンはモモンガさんと離れたくないって言い出したとかで……。

出航までに円満解決できるといいなぁ。

「なんだ、連れて来なかったのかぁ。あの毛玉はまあまあ戦力になるから、ユーリたんが連れているると安心するんだけどなぁ」

「おじ……ゲオルク様！　モモンガさんは戦力じゃなくて、お友達です！」

思わず強く言ってしまったと慌てる私に、お祖父様は一瞬目を大きく開いてから、とても優しそうな笑顔を浮かべた。

「すまんすまん、そうか友達だったな。ユーリたんが迷子になったら大変だと思ってなぁ」

「迷子になりません！　子どもじゃないんですから！」

などと言っていた時が私にもありました。

ただひとつ言えることは、私は悪くないってこと。

市場の奥にあるお洒落なバルに入った私たちは、新鮮な海の幸を焼いたり蒸したりなんだかんだ料理されたものを、朝食として美味しくいただいた。

なんならお祖父様は馴染みの人たちからワインをプレゼントされていたり、それを皆に振る舞っていたり、気づけばお店が人でいっぱいになるくらい繁盛していたりした。

お父様とお師匠様は船に刻む魔法陣について話していたし、飛び込みで来た現役船乗りのオッサンたちから話を聞いたりもして、本格的に私「冒険者ユーリ」は放置されていたのだ。

だから、私は悪くない。

市場にあるお店の品物をモモンガさんたちのお土産にしようかなとか、そういう善意から始まった衝動的だけど計画的な行動だったのだ。

「ここ、どこ？」

そんな私は今、カラフルな家々が並ぶ路地で途方に暮れているわけで。

うっかり市場のある建物から外に出て、すぐ戻ろうとしたら猫ちゃんがいて、追いかけていたらこのザマって感じです。

「ねこちゃんもいないし、すっかり迷っ……いや、お父様たちとはぐれちゃった」

そう。私は迷子になったわけではない。はぐれただけだ。迷子と言ったら負けな気がするから絶対に言わないぞ。

知らせを飛ばそうと魔力を練ろうとするけど、なかなかうまくいかない。おかしいな？　動揺しているのかな？

「あら、お嬢さん。こんなところでどうしたの？」

急に後ろから話しかけられて振り返ると、ターコイズブルーの髪と瞳の美女が立ってらっしゃる。

「ふぉっ⁉」

お化粧もさることながら、プロポーションも「たゆん・きゅっ・ぷりん」という感じで、とにかく女性としての色香がムンムンしている。

綺麗な藍色の服を身につけていて、港町の女性たちが着ているお腹を出す露出度の高いデザインだから、美女のスタイルが丸わかりだ。

私には絶対に似合わない服装で、思わずぐぬぬとなる。

「迷子かしら？」

「ちがいます！」

秒で否定してしまったけど、今の私が迷子に見えてしまうのはしょうがないことだ。

軽く咳《せき》ばらいをして自分を落ち着かせ、美女にこれまでの経緯の説明をすることに。

「なるほど。冒険者のユーリちゃんは、市場で仲間が用を済ませている間に町の探索をしていたのね？」

「そうです！」

「猫を捜しているっていうけど、このあたりにいる猫は室内で飼われているのがほとんどよ。もしかしたら飼い主のところに帰っているんじゃないかしら」

「なるほど！　ありがとうございます！　それでは！」

美女にぺこりと一礼した私は、さっさとこの場から離れようとすると腕を摑まれる。

「なっ、なんですか⁉」

摑まれた手を振りほどいた私は、美女に向かって身構える。

そんな私を見た美女は、少し困ったように眉を八の字にして言った。

「市場は逆の方向よ。私も用があるから一緒にどうかしら？」

「……よろしくおねがいします」

15　美女のお願いに戸惑う少女

色とりどりの家が並ぶ、せまい路地を抜けたところで空気が変わった。

「海！」

「え、ええ、海ね」

そりゃ港町なんだから海があるだろうって話ではない。この場合の海とは「砂浜が広がっている

波打ち際」を指すのだ。

浜辺には砂遊びをしている子どもたちがいるけど、誰も海には入っていないようだ。そういえば海水浴の季節ではないと、お父様が言っていたっけ……。

つい海へ向かって走り出そうとした私は、思いきり我慢をして回れ右をする。

「市場……いきます……」

「そこまで我慢しなくてもいいのよ？　少し砂遊びとかする？」

「し、しませんよ！　おとななので！」

「そうね。ユーリちゃんは立派な冒険者なのよね」

クスクス笑いながらも市場へ歩き出す美女。ぐぬぬお子様あつかいしよってからに。

あ、そうだ。

「お名前、聞いてもいいですか？」

「メイアよ」

「メイアさん！　なんだか海っぽいですね！」

「そうかしら？」

昔、ちょっとだけ習っていたドイツ語の「海」っぽい発音だったから、つい反応してしまったよ。

青い髪も瞳も海みたいだねって話をしていると、突然目の前が真っ暗になる。

次に感じたのは、安心するようないい匂いと分厚い胸板のむちむちとした筋肉で……。

「ユーリ！　ここにいたのか！」

「べ……閣下《かっか》、ごめんなさい」

ぎゅうぎゅうと抱きしめられた私が思わず「ぐぇっ」と声を出したところで、お父様の腕《きんにく》の力がゆるんだ。

「お前に何かあったら、私は……」

「ごめんなさい」

お父様の力をもってしても、なぜか私を捜せなかったと小声で言われた。なぜだろうと首を傾げていたところで、視界に青色が入ってきた私は恩人の存在を思い出す。

「閣下、こちらのメイアさんが助けてくれました」

「……そうか」

うん。私を抱きしめたまま頷くお父様だけど、メイアさんのことをまったく見てくれないね。どうしようかと思っていたら、後から来たお師匠様とセバスさんがお礼を言ってくれている。うちのお父様が氷な上に塩対応で申し訳ないです。

すると、なんだなんだと集まってきた中に船乗りのオッサンたちがいて、メイアさんに鼻の下をのばしながら話しかけている。やはり魅力的な美女だから海の男たちに大人気なのだろう。

「メイアちゃん、船は見つかったかい？」

「いいえ、なかなか難しいみたい」

「悪いなぁ。探したんだけど最近は海の魔女が出るっていうし、こんな時季に航海する船はなかなかなくてなぁ」

「探してくれてありがとう」

「いいんだよぉ」

メイアさんが笑顔で礼を言えば、たちまち船乗りのオッサンたちはデレデレになっている。さすが百戦錬磨（？）の美女メイアさん……オッサンたちが子猫のごとく、いいように転がされているよ……。

「メイアさん、船を探しているの？」

「ユーリ」

お父様から「めっ」ってアイコンタクトをされたけれど、私は困っているメイアさんをそのままにはできなかった。

それに、市場に案内してくれた親切な美女さんだし……。

「……話を聞くだけだ」

「ありがとうございます！」

お父様の首にぎゅっと抱きつくと、背中をやさしくポンポンと叩いてくれたよ。えへへ。

「あら、なんだか親子みたいね」

「……話を聞く。セバス」

「はっ！　ご婦人、こちらへご案内いたします」

「ありがとう」

相変わらず氷のお父様だけど、メイアさんは少し驚いた表情をしただけで、セバスさんに笑顔で礼を言っている。さすが大人の女性の余裕って感じ。

お騒がせしましたと市場の人たちにお礼を言って、お父様が大量にお土産を買ったことにより「さすがフェルザー家の御方だ！」と喜ばれた。

お祖父様の姿が見えないのは、これから向かう造船所に先にいるからだってお師匠様から教えてもらった。

よかった……お祖父様がこの騒ぎを知らなくて……。


造船所は大きな建物のイメージがあったけど、小高い丘の向こう側にあるので町から見るとほとんど目立たない。

そして入り口は、市場の奥からそのまま行けるようになっていた。

「ここは従業員しか入れないから、通常の依頼はギルドで受付している」

「なるほどー」

お父様の言葉に頷く私だけど、ずっと抱っこされているのが気になるところであります。

「また迷子になる」

「迷子にはなっていません。はなれていただけです」

薄暗い地下への階段を下りながら、小声で会話をする私たち。

今は冒険者の姿だから、子ども扱いされるわけにはいかない。つまり抱っこ移動はご遠慮したく……。

「……そうか」

「心配かけてごめんなさい」

少し落ち込んでいるようなお父様に、もう一度謝ったら頭を撫でられた。

「おい。嬢ちゃんの立ち位置はどうなっているんだ？」

「フェルザー家の末席」

「アロイスと同じ設定じゃねぇか！」

お父様に対して小声でツッコミを入れるお師匠様。

メイアさんは少し離れたところでセバスさんに案内されているから聞こえていないだろうけど、なるべく私たちの事情を明かさないほうがいいよね。気をつけないと……。

「そういや、これから行くところは大丈夫なのか？」

「ああ」

フェルザー家だけで管理している造船所もあるらしいけど、そこへは高原のお屋敷からしか入れないんだって。

だからこれから行く場所にメイアさんが行っても問題ないみたい。

「個人で船を所有できるのかしら？」

「莫大な資産と、国からの許可が必要だと聞いております」

「そう……困ったわ……」

セバスさんの言葉に、メイアさんは小さなため息を漏らす。

美女の悩ましげな様子に男たちは色めき立つ……と言いたいところだけど、残念ながらここにいる男性陣は全員「無」の状態だ。

むしろ私がちょっとドキドキしているくらいだよ。

しばらく地下通路を歩いていると、明るく開けた場所に出る。建物というよりも、大きな洞窟の中にいるという感じだ。

いくつかあるドアのひとつを開けたセバスさんが、優雅に一礼する。

「皆様こちらへ。メイア様もどうぞ」

「ありがとう」

地下だから湿っているかと思ったら、普通の部屋だし窓もある。いつの間に地上に出ていたんだろう？

「この町は高低差があるから、地形に沿うように建てている」

なるほどそういうことかぁーって、頭では理解していても体の中にある方向感覚はグルグルしたままだよ。

案内された部屋は小さな会議室という感じで、いつの間に用意したのかセバスさんがお茶を淹れて出している。

「あー……メイアって言ったか。俺は宮廷魔法使いで、ここにいるランベルトとユーリの友人だ。船の内部を確認するために来ている」

「……ランベルト・フェルザーだ」

「お願いします！　海に出るなら、私も連れて行ってください！」

そう言ったメイアさんは、みるみる目に涙を浮かべると勢いよく立ち上がって頭を下げた。

「改めまして、メイアです。あの……船を持っていらっしゃるとか……」

「フェルザー家の執事、セバスでございます」

「冒険者のユーリです！」

16　ギャップの盛り合わせに混乱する少女

メイアさんの涙は、私の心に深く刺さった。

しかし、この場にいる男たちにはまったく刺さらないようで……。

「そうは言われてもなぁ」

愛妻家で息子と娘を溺愛するマイホームパパのお師匠様は、関わりたくないって感じ。

「旦那様のお許しがあれば……」

フェルザー家の『影』の長であるセバスさんが、たかが美女に揺らぐはずもなく。

「……却下だ」

身内に対しても氷の対応をするお父様に、死角はないわけで。

「なんだぁ？　ひとりくらい乗せてやればいいだろう。美人さんだし」

おっとここでダークホース！　いつの間にか合流していたお祖父様からメイアさんへの援護がきましたよ！

ところで、ドアには鍵がかかっていたはず。一体どうやって部屋の中へ入ってきたのかしら？

「ゲオルク様よぉ！　勝手に鍵を持ち出したら困るんだってぇ！」

部屋に慌てて飛び込んできたのは、作業着を身につけている口髭《ひげ》マッチョなオッサンだ。きっと造船所関係の人だね。

「いいじゃねぇか。俺とマリオの仲だろう？」

「どんな仲だ！　船大工と客って仲しかねぇだろがよ！」

あ、口髭マッチョさんは配管工じゃなくて船大工なんですね……って、そりゃそうか。

「あの……すみません、船に乗せてもらえるんですか？」

「おう！　美人さんが困ってるなら、助けてやるのが男ってやつだろう！　なぁ息子よ！」

「……却下だ」

「ああん!?　お前ってやつは相変わらず反抗期かぁ!?」

「……うるさい」

ふぉぉ!?　室内でお祖父様の火のオーラと、お父様の氷のオーラが渦巻いてふぉぉ!?

するとピタッと空気が止まる。

部屋の中心にあるテーブルを境に、お祖父様とお父様は透明な壁の向こう側にいて、私たちはお師匠様の結界で反対側に集まっている状態になった。

今の一瞬で結界と人の位置を変更するなんて、さすがお師匠様だ。

「はい、結界を張ったから大丈夫。それで？　アンタはどこへ行きたいんだ？」

「え？　ええ、東の国に行けたらって……」

「なるほどなぁー」

お師匠様の問いに返したメイアさんの、戸惑うその表情も色っぽい。

そんな彼女を見て船大工マリオさんは鼻の下を伸ばしているよ。やれやれ。

「メイアさんは、なぜ東の国に行きたいの？」

「実は……家族が病気で、薬を持って行ってあげたいの」

「薬はあるの？」

「いいえ、それは海の……海の魔女が持っているのよ」

なんですと⁉

びっくりした私がお師匠様を見ると、難しい表情で考え込んでいる。セバスさんはいつもの微笑みを浮かべたままだし、配管工……じゃないほうのマリオさんはすっかり同情している感じ。

うーん。厄介ごとの香りしかしないけど、この流れって何をしても後で巻き込まれるパターンのような気がするよ。

「ベル……じゃない、閣下！　メイアさんのお願いを聞いてあげましょう！」

「わかった」

「おい‼　なぜ父の言うことは聞かない⁉　やっぱり反抗期かおい‼」

「……うるさい。この件は母上に報告しておく」

「え、ちょっと待て！　なんて報告するんだ！」

「そのままを、だ」

結界の向こうにいて戦闘（？）中でも、私の声が届いたお父様はあっさり了承してくれた。それに対して文句を言いたいお祖父様の気持ちは分からなくもないけど、美女に絆《ほだ》された流れはまったくフォローできないよ……。

メイアさんは色っぽい微笑みを私に向けて、小さな声で「ありがとう」と言ってくれた。

おぅふ、美女の色香に胸がキュンキュンするぅ。


自然に出来た洞窟を造船所として利用しているから、潮の満ち引きが影響するのではないかと思ったら、その辺りは地形を整えているから大丈夫なんだって。

さすが異世界としか言いようがない。

「この船だ！」

「おー！　すごいです！」

案内されたのは、フェルザー家で新しく造った船が置いてある場所だった。

丸太が組まれた上に鎮座するのは、前の世界の映画とかでよくある帆船《はんせん》で、帆や船底などに風や浮力の魔法陣を刻むのはお父様とお師匠様だ。

お祖父様は船の舳先《へさき》にある飾りが不満らしく、船大工のマリオさんに追加注文しようとしてセバスさんに止められている。

これ以上出発が遅れると困るので、時間がかかる提案は却下ですよ。

「ユーリちゃんは、お貴族様の子なのね」

「あ、はい。でも平民みたいなものですよ」

「それはどうかしら」

まぁ、確かに過保護にされている自覚はありますが。

色っぽい笑みを浮かべているメイアさんに対し、私は気合を入れて深呼吸をする。

「メイアさん」

「なぁに？」

「それ、要らないですよ？」

「要らない？　何のこと？」

ぷるりとした唇に指をあてて、小さく首を傾げるメイアさんに私は「それです！」と指摘する。

「あざとさ、色っぽさ……そういうのがなくても船に乗せるようにしますから大丈夫ですよ」

「……ユーリちゃん」

お色気ムンムンモードだったメイアさんは、すっと背すじを伸ばして私を真っすぐに見る。

そして丁寧にお辞儀《じぎ》をしてから続ける。

「かたじけない。なぜ気づかれたのか、お教えいただけぬか？」

「えっと、最初はベル……閣下たちにすり寄る感じだったけど、なんかすごく無理してるのかなって思いました。なんとなく感じただけ、なんですけど……。え？　そっちが本性？」

「うむ。似合わぬとは思うが、これが拙者《せっしゃ》本来の口調でござる」

ちょっと待ってクダサーイ！　幼女の小さな脳がバグってしまうヨ！

お色気ムンムン美女が武士口調って、いったい全体どうなっちゃってるのぉーっ⁉

17　もちもちパンをもちもち食べる幼女

あまりにも驚きすぎて固まっている私に、メイアさんが「いかがした⁉」と声をかけてくれるけど反応ができないというか、やっぱり口調が武士っぽい件。

いったん深呼吸して落ち着こう。すぅー、はぁー。

「あの、理由を聞いても大丈夫ですか？」

「もちろん」

「たぶん、閣下たちには伝わっちゃうと思うけど……」

「ユーリ殿の身内であれば大丈夫よ」

「りょ、了解です」

メイアさんの口調が女性モードになったため、外見とのギャップで過剰反応していた私に平常心が戻ってくる。

少し船から離れた私に視線を向けるお父様に、魔力で音を届けるように指でちょちょいと設定しておくことにした。

「驚かせてごめんなさい。実は私、海の魔女から『姿換えの呪い』を受けてしまったの」

「すがたかえ？　外見が変化したということですか？」

「魔法などで変化させるものとは違って、魔女が私の体を交換してしまったの」

「体を交換？　なぜそんなことに？」

メイアさんの身の上話を、ざっくり説明するとこんな感じだ。


東の国にある小さな町で平和に暮らしていたメイアさん御一家。

ある時、用事があって海のほうまで出かけたところ、メイアさんの奥様が突然の不調を感じたそうで、そのまま寝たきりになってしまったとのこと。

医者に診てもらっても原因は不明で、これは何かの呪いではないかと呪術師などを紹介してもらって調べたら、どうやら海の魔女の仕業ではないかと判明する。

急ぎ海へ船を出したメイアさんは、なんとか海の魔女に会うことができたのだけど……。


「怒らせてしまった？」

「呪いを解いてほしければ、ひと晩の相手をしろと……」

ひと晩の相手ということは……えっと、そういうことですね？（詳細は省く）

少し顔が熱くなったけれど、メイアさんの真剣な表情を見て気合を入れ直す。魔女という存在はそういうことも対価にするのだと勉強になったということで、そっと流しておこう。

そしてお父様からの冷たい魔力も、そっと散らしておこう。

「私には家族があるから無理だと言ったら、姿を入れ替えられてしまって……」

「姿を入れ替えられたということは、メイアさんの元の姿は？」

「魔女に取られたの」

「え？」

ということは、今の魔女はメイアさんの元の姿になっているってこと？

そんなことをして何がしたいのかなって首を傾げていると、メイアさんは苦笑して言った。

「海の魔女からは、嫌がらせだと楽しそうに言われたけど」

「嫌がらせ！」

でも、自分の体を男にして楽しいかな？　メイアさんに言い寄ったってことは、きっと魅力的な体だったのかもだけど……。

ふと、お父様を見る。

服の上からでも分かるお父様の体にほどよく付いた美しい筋肉は、しっかりと体幹を支えていて素晴らしいシルエットを作り出している。

さらに煌《きら》めく銀色の髪とアイスブルーの瞳、恐ろしいくらいに整ったご尊顔《そんがん》はこの世のものとは思えないほど美しい。ずっと見ていられるくらい飽きない美しさだ。

そんな世界一美しく素晴らしいお父様に、もしなれるとしたら……。

「魔女さんの気持ちも、ちょっとわかります」

「ユーリちゃん、そこはわかったらダメだと思う」

うっとりする私に対し、冷静にツッコミを入れるメイアさんでしたとさ。

そんな秘密の会話が終わった後、船の内部を案内されたり船員さんたちを紹介されたりしたけど、いまいち頭に入ってこなかったよ。

お父様とお師匠様は船の魔改造をほぼ終わらせていて、残りの微調整は明日にするって言ってたけど、その説明もすり抜けていくくらいぼんやりしていた自覚はあります。

造船所から外に出たところで私の様子がおかしいことにお祖父様が気づき、お父様はメイアさんに向けて冷えた（物理的に）視線を送っているし、何かあったであろうことはバレバレだ。

「ユーリたん、どうしたんだい？　じぃじに話してごらん？」

心配したお祖父様が声をかけてくれるけど、言っていいのかどうか分からない。

困った私はお父様を見上げると、素早く抱き上げたので違う違うそうじゃないとペチペチ胸板を叩く。うん、今日もいい胸板の厚みですね。

メイアさんはあれから女性口調に戻って（？）いて、そのあたりは秘密にしてもらいたい雰囲気を出しているから困る。

ワタシ、ヨウジョ。カクシゴト、ニガテ。

どうしたもんかと悩んでいると、上から「きゅー！」という鳴き声とともに茶色の毛玉が落ちてくる。

慌てて受け止めようとした私よりも先に、片手でしっかりキャッチしたのはお父様だったよ。ナイキャ！（ナイスキャッチの略）

「きゅっ（主、ウコンとサコンは屋敷にある世界樹の庭で待っているそうだ）」

よかったー。海と相性が悪いって聞いていたから、ウコンサコンを同行させるのは不安だったのだ。モモンガさん、説得お疲れ様です。

そして、いい時に来てくれました！

「きゅ？（む、何かあったのか……って、こやつ!?）」

メイアさんの存在に気づいたモモンガさんが、毛を膨らませて一気に警戒モードになっている。

確かに武士口調になったりとか訳ありで怪しさ満載だけど、落ち着いてモモンガさん！

「ユーリ、今日は屋敷に戻る。決めるのは明日だ」

「でも……」

「ユーリちゃん、私は大丈夫。町にある宿『トモシビ』にいるから、連絡はそこにお願いね」

「わかりました。メイアさん」

奥様が病気だと言ってたし、本当は早く船を出してほしいんだろうなぁ……と思うけど、私ひとりで決められることじゃないもんね。

お祖父様とお父様の許可もゲットしたけど、セバスさんとお師匠様の説得はお屋敷に戻ってからにしますか。

本当は町のレストランでランチ予定だったけど、色々あったので急きょ高原のお屋敷に戻ってきた私たちを出迎えてくれたのはお祖母様とアヒムさんだった。

さっそくお祖母様の満面の笑みにお祖父様は文字通り凍りつき、そのままどこかへ連れて行かれてしまったよ。そういえば、お祖母様も氷属性の魔力持ちだったたっけ……。

メイアさんくらいの美女にお願いされると、皆どうにかしてあげようって思っちゃうんだろうなぁ。私を含めて。

「それは違いますよ。現に旦那様もペンドラゴン様も冷静でしたでしょう？」

「セバシュは？」

「訓練しておりますから」

どういう訓練なのだろうという疑問は、アヒムさんのランチの用意ができたという案内で消えてしまう。

色々あったし、考えていたからお腹が空いたのです。

「きゅっ（主よ、さっきの青髪のことだが……）」

ちょっと待ってくださいモモンガさん。

今は幼女に戻っているので、食べるのに一生懸命なのですよ。このパンのもちもちが、もちもちすぎて止まらないのですよ。

「きゅきゅきゅきゅっ（食べながらでいい。あの青髪、鳥たちから聞いている海の魔女とそっくりだぞ）」

「もがもが？」

「こら、ユリア。食べている時に話しをしたら喉《のど》に詰まる」

「そこは行儀が悪いって流れじゃないのか？」

お父様に背中をさすられ、お師匠様に呆れ顔をされた私は、モモンガさんの話の続きが聞きたくて口の中のパンを一生懸命モグモグゴクンとする。

「モモンガさん、うみのまじょをしってるの？」

「毛玉、皆に説明せよ」

テーブルの上でパンの端っこを食べていたモモンガさんは、お父様の威圧に慌てて姿を手のひらサイズの人モードに変えた。ちなみにパンの端っこは持ったままだ。

「先ほど町にいた青髪が、鳥たちから聞いている海の魔女の外見にそっくりだったと、主に言ったのだ」

「鳥たちの情報？」

「うむ。鳥たちの見た映像を共有し……見せたほうが早いか」

そうお父様に返したモモンガさんはテーブルクロスに小さな手を置くと、じわじわとインクの染みのように絵が浮き上がってきた。

「人相書き、か」

「なかなか細密だな……どうやってんだ？」

お師匠様が身を乗り出してテーブルクロスを見ている。お父様に膝抱っこされている私は、お父様が脇に手を入れて持ち上げてくれた。おお、よく見えますよ。

鉛筆描きのリアルなデッサンって感じで、メイアさんの色っぽい目もとや艶《つや》やかな唇も表現されているけれど、絵のほうが色気がすごいと思う。（おもに服装）

ところでこれ、洗濯で落ちるのかしら？

「これは鳥たちが見た海の魔女である」

「ということは、先ほどのメイアという女性の話は真実かもしれません」

私とメイアさんの会話は、お父様だけでなくお師匠様とセバスさんも聞いてた。

お祖父様はマリオさんとバトルしていたから音を届けていないけど、セバスさんがアヒムさんに報告はしているとのこと。

「なぁ、どうしてあの女は嬢ちゃんに理由を言ったんだ？　船が必要だからって、俺らじゃなくて嬢ちゃんにってところが気になるんだけど」

「それはユリアだからだろう」

「んなもん理由になるかよ」

お父様の謎理論に対してお師匠様がツッコミを入れているけど、今回の私はお父様に賛同せざるを得ないのだ。

「おししょ、メイアさんもユーリちゃんだからって、いってたよ」

「はぁ？　まさか……」

「しんじつが、みえるからって」

確かにメイアさんから悪意を感じなかったし、私たちを害そうとする人だとは思わなかったから話を聞いたのもある。

でも、別れ際にメイアさんから「ユーリちゃんは真実がみえる人だから」と言われた時、私は『世界の理』や『記憶乃柱《ログライン》』に触れたことを思い出していた。

あの時、私が触れた『世界の理』は一部だったと思っている。でも、もしかしたら一部とはいえ膨大な量の情報だとしたら……。

中身は違っていても今のメイアさんは海の魔女の体を持っているから、私に何かを感じたのかもしれない。

「ユリア、明日また、かの者と話そう」

「あい！」

お父様の言葉に手をあげて返事をすると、モモンガさんもパンを頬張りながら手を上げていた。

モモンガさん、ほっぺの膨らみがすごいことになっているけど、それ大丈夫なの？

18　仲間の災難を知る幼女

翌日。

顔に痣《あざ》やひっかき傷のあるお祖父様は、朝食の後に魔獣討伐に行くと言って笑顔のお祖母様と一緒に出ていった。

アヒムさんは聖獣のウコンとサコンの世話を、とても嬉しそうに引き受けてくれたよ。そういえば彼は聖獣至上主義のエルフ族だったっけ。

というわけで、冒険者ユーリになった私とお父様、お師匠様とセバスさんの四人で港町へと向かう。

メイアさんが滞在している『トモシビ』は有名な宿とのことで、馬車を預けている施設の人が場所を教えてくれた。

「金持ちの商人やお貴族様ならともかく、平民には手が届かない宿だ。泊まるなら服装に気をつけろよ」

「ありがとう、おじさん」

冒険者の服装をしているからか、道案内をしてくれたおじさんが私にだけ声をかけてくれた。

メイアさんの中身は東の国の人だけど、お金とか大丈夫だったのかな？　もしかしたらお金持ちの人とか？

「東の国は独自の通貨を使用しているが、こちらで貴重とされる魔石《ませき》や宝石を多く産出する国でもある」

「べ……閣下、それでは向こうからたくさん商品を持ってきたら、市場《しじょう》が荒れるのでは？」

「それは我が国で調整する。向こうとしては自国の商品を大量に輸出したくないようだから、市場が荒れるほど出回ることはないだろうが」

お父様の言葉に、私はなるほどと頷く。

「だからメイアさんは『トモシビ』に泊まれるんですね」

謎が解けたところで、歩きながら私はお父様に昨日からの疑問をぶつけてみる。

「……なぜ、メイアさんを助けてくれるんですか？」

「ユーリの願いだからな」

「それだけ、じゃないですよね？」

「ペンドラゴンとセバスも言っていたが、ユーリとの旅では海の魔女と関わる未来しかみえない……ということだ」

何そのフラグ乱立・DE・全回収キャラみたいな扱いは。

そんなわけないじゃないですか。

いや改めて言われると、メイアさんのことがなかったとしても海の魔女とは関わっちゃいそうだなぁー、なんて……思っていたりする。どうせ関わるならメイアさんと行動したら話が早いかなぁーなんて思っておりました。

「本当か？」

宿泊施設の『トモシビ』は、この町によくあるような派手な色ではなく、シックな配色で外壁が塗られている建物だった。

目立たないかと思いきや、周りが派手な色だからかえって浮いている感じになっているのが面白い。

セバスさんが宿の人に確認すると、すぐにメイアさんが姿を現した。すると周りの人たちが浮き足立って、ちょっとした騒ぎになってしまう。しかも「いかにも貴族」といった服装のお父様の御一行もいるから大変だ。

宿の人のご好意で、客用の応接室を貸してもらえることになった。ありがたや。

テーブルは円卓になっていて、部屋の奥からお父様と私、お師匠様とメイアさんという順番に座る。

お父様の横でお茶の用意をしているセバスさんの肩には、珍しくモモンガさんが乗っている。

「わざわざ足をお運びいただき感謝いたします。ユーリちゃんもありがとう」

「ここにいる人にはメイアさんの話を伝えました」

「そう……何か証明になるものがあればいいのだけど、武器や服は取り上げられてしまって」

服も昨日と同じものを着ているからお金がないのかと思ったけど、メイアさんが滞在しているこの宿は高級なんだよね。

「その服は魔女の仕業か？」

「さすがに露出がひどいので『符』を使って少しだけ変化させています」

「へぇ、なかなかやるなぁ」

お師匠様にはメイアさんの衣装に何かを感じているらしい。私も目をキュッと細めてみると、濃い青色の光がメイアさんの身体を取り巻いているのが視えた。

もしやこれは……。

「服が魔力で出来ているのですか？」

「そうね、魔女固有の能力みたいなもので、時と場面によって自動的に変化するようになっているみたい」

「寝るときは変わったりします？」

「……ええ、変わるわ」

表情からすると、メイアさんの中の人にとっては趣味じゃない服装なのかな。

ところで『符』とはなんだろう？

「ユーリ、『符』は東の国でよく使われているアイテムだ。これがあれば魔力の少ない人間でも魔法のような力が使える」

「おし……ペンドラゴン殿、それは魔法陣とは違うのですか？」

「魔法陣は発動させるための魔力がないと使えない。俺やランベルトは大気中にある魔力を取り入れるよう魔法陣に組み込んでいるから、色々出来ているだけだぞ」

「え、それって……」

お父様やお師匠様が刻んでいる魔法陣って、もしや特殊すぎるのでは？

そっとセバスさんを見ると、しっかりと頷いている。

ああ……やっぱりそうなのね……。そんな特殊で貴重な魔法陣を、ホイホイと馬車やら船やらに刻んでしまうなんて……。

「御二方の過保護、極まれりでございます。ユーリ様」

セバスさんのため息まじりの言葉に、私は乾いた笑いを浮かべる。

「その『符』を魔力で作られた服として加工する技術をもっている人間は、さすがに東の国でも少ないと思うぞ」

お師匠様に説明をしてもらったことにより、私の中でメイアさんが一般人ではない説がムクムクと持ち上がる。

そして今回の件をうまく解決させることができたら、お父様の目的である東の国との外交の一助になるのではないかという下心もムクムク。

「人助けってのは分かるけど、わざわざ海の魔女と関わるなんて危険をおかす必要はないと思うぞ」

「でも、海の魔女をどうにかしないと貿易ができないです」

「そうだけどさぁー」

お師匠様の心配もわかるけど、人生において避けられないものってあると思うんだ。なんとなくだけど、感じるものがあるのだ。

だからメイアさんは申し訳ない気持ちにならなくていいからね。

「ユーリ」

「わかってます。無理はしません、閣下」

「……そうか」

お父様からも心配オーラを出されておりますが、大丈夫ですよ。たぶん。

「あ、そうだ。メイアさん、船に乗るのは私の仲間の冒険者と神官もいます。信頼できる人間なので大丈夫です」

「ユーリちゃんの仲間なら、どれだけ増えても大丈夫」

「よかったー」

受け入れてもらえるのは嬉しいけど、問題はオルフェウス君とティアに一連の流れをどう伝えればいいのか悩むなぁ……。

方向性が決まったところで、メイアさんから海の魔女について知っている情報をもらうことに。どこから取り出したのか大きな海図を広げるセバスさんが、東の国に向けての航路を丸い石をいくつか置いて指し示す。

「魔女だけじゃなくて、海の魔獣も注意する必要があるからな。俺は同行できないから、ユーリがしっかりと索敵するんだぞ」

「了解です！」

そう。私の得意技は、お師匠様直伝の便利魔法の数々だ。ちゃんと冒険者らしく活躍せねば。

メイアさんは『符』を少し使えて、武器があれば戦えるらしいけど女性の体だから弱くて戦力にならないと落ち込んでいた。

「海の魔女の力は使えないんですか？」

「魔力の服や魅了の力は多少あるけど、自分で調節できないから……」

あくまでも海の魔女が主導権を握っているということか。性格わるっ!!

お父様とお師匠様と船員さんたちが何度も船の試運転をして、ようやく合格をもらえたのは私たちが港町に顔を出すようになってから一週間後のことだった。

そして、オルフェウス君とティアと合流できたのは出港予定の前夜で、なぜか二人とも涙目で屋敷まで来ていた。

「ふたりとも、どしたの？」

「久しぶりだな！　お嬢サマ！」

「ユリちゃん！　もう、すごくすごく会いたかったですー！」

「ほんとに、どしたの？」

飛び込んできた二人を迎え入れた私だけど、お父様に素早く抱っこされてしまう。

会えて嬉しかったハグはできなかったけど、二人の勢いからすると潰されてしまうところだったと思われ。

「王都のギルドで報告したら、指名依頼が大量に入るわ、王宮から騎士団長が俺を引き抜こうとするわ、実家の親からはお姫様をモノにしてこいとか、訳のわからんことを言われて念書作成することになるわで……とにかく大変だったんだよ！」

いつも飄々《ひょうひょう》としているオルフェウス君らしからぬ必死さと、大変だったと語る内容に同情はする。

でも、最後の念書っていうのは何？

あ、お父様に手渡しているのが念書なのね。えっと、オルフェウス君が私と婚姻《こんいん》することは絶対にないって書いてあるって……どんだけ必死なの？

騎士団からのスカウトは前々から断っているから大丈夫っていうけど、冒険者よりも騎士になるほうが安定した収入をもらえるから、この先もし万が一にでも結婚することになったら考えるそうな。

オルフェウス君の理想は高いから、結婚の可能性は低いんだって。本当かなぁ？

「神殿で大神官様に報告をしたら聖女認定されそうになって、父から釣書《つりがき》をたくさん渡されて全部お断りして、終いには王宮から国王陛下に呼び出されて……心臓が止まりかけました！」

涙目のティアの話にある釣書というのは、きっとお見合いの話だよね。

そして神殿の件については、何やらお兄様が通う学園に聖女と呼ばれる人がいて、神殿の偉い人が神官からも聖女を出そうぜってノリノリになっていたところ、巡礼神官として活躍していたティアが運悪く巻き込まれたらしい。

国王陛下からの呼び出しは旅の話が聞きたかっただけみたいだけど、いっぱいいっぱいだったティアには負担が大きすぎたのでは……。

お父様を見上げると「アーサーに釘を刺しておく」と言ってくれた。よかったね、ティア。

そんな必死だった二人に、今回の船旅にメイアさんの件が追加されるのは大丈夫かなぁ……。

「あん？　侯爵サマも師匠もいるんだろ？　王都にいるより魔女や竜を相手していたほうが何倍もマシだ」

「本当に恐ろしいのは人間です。でも、ユリちゃんと一緒にいれば少なくとも心は安全ですから」

二人とも王都で色々と心をすり減らし、精神的にボロボロになっていたみたい。

安心して！　二人のことは冒険者ユーリと世界で一番頼りになるお父様が守ってくれるからね！

「いや、俺らが守られるのはお嬢サマのついでだろ」

「ユリちゃんが守ってくれるのなら、絶対安心ですね」

オルフェウス君のツッコミはスルーして、ティアのほんわか笑顔だけ受け取っておくことにしよう。

「お二人とも、今回の船旅について事前の打ち合わせがあります。それが終わりましたら今夜はしっかりとお休みください」

「おう！　じゃない、はい！」

「かしこまりました」

どうやらメイアさんのことはセバスさんが説明してくれるみたい。さすセバ。

オルフェウス君、ティア、王都のことは忘れてゆっくりと休んでね。

「……二人とも気づいてないようだけど、嬢ちゃんと一緒にいるかぎり王都で起きたことが続くと思うけどなぁ」

お師匠様は黙っていてくださいね。

19　いよいよ船出する少女

青い空、青い海、そして太陽の光で白く輝く水しぶき。

町ではそれほど気にならなかった潮風も、ここはしっかりと吹きつけてくる。船に乗ったらこれがずっと続くのだろう。

こっそり魔力を練って、潮風特有の匂いを常時散らすようにしたのは内緒だ。お父様あたりにはバレているだろうけど。

港には船がいくつかあるが、どれも休業中という札が下がっている。

しかし、その中にひとつだけ色とりどりの旗をはためかせているきらびやかな帆船があった。

見送る人間は少ないが、送り出される人間も多くはない。

その中でも目立っているのは、蜂蜜《はちみつ》色の髪を陽光に輝かせ、顔を真っ赤にして号泣するひとりの少女……。

そう、冒険者《わたし》ユーリである。（ばばーん）

「うぇ、おし、ペンドリヤ、いってきますぅふにゃああああん！」

「おいおいどうした。昨日まで平気だっただろう？」

「ビアンの魔力のこと調べたり、世界樹の研究とか、よろしくですううううう！」

「お前……この機会に面倒なことを全部押し付ける気だろう」

その通りである。

ビアン国での妙な魔力の動きについて、未《いま》だ解明に至っていない。そして高原のお屋敷の庭でちゃっかり育っている世界樹についても、エルフに研究素材を渡して調べてもらう必要がある。

なにせ、フェルザー家の保有する土地の庭に、世界樹という貴重な植物が育っているとか、普通なら国が管理するレベルの話になる……って。

「アーサーには報告済だ」

あ、よかったです。さすがに国王様には報告しないとなぁって思っていたけど、そういうのはお父様かお師匠様レベルじゃないと難しいので。

そしてお父様をはじめ、皆さん相変わらず私の心を読んできますね……。

「顔に出ているんだって」

「ユーリちゃんは素直だから安心できます」

いつものように、オルフェウス君の言葉はスルーして、ティアの優しさはしっかりと受け取ります。

というよりもティア、王都での出来事からすっかり人間不信になっている気がするんだけど……大丈夫かな？

「あなたたちがユーリちゃんの仲間ね。はじめまして、メイアと呼んでちょうだい」

「俺はオルでいい」

「私のことはティアと呼んでください」

メイアさんは前回会った時よりも、さらに露出が少ない服を着ている。

魔力で作られている服は、普通の布の服を着ようとすると反発して弾いてしまうらしい。メイアさんは東で伝わる『符』で変化させていたけど、お師匠様のアドバイスでショールを追加できたんだって。

周りの人たちには目の保養でも、本人が望んでいない露出は悲劇しか生まないもんね。中身が違うならなおさらだろうし……。

ところでオルフェウス君は、メイアさんの魅力にメロメロってならないのかな？

「俺は俺の理想にしか反応しない」

「オルリーダー、そんな当たり前のことを堂々と言っても自慢になりませんよ」

そうなの？　前の世界ではネトリネトラレフリフラレみたいな恋愛模様が（私以外で）見られたけれど。

まぁ、現在は修道院にいるあの女《ひと》みたいなのがゴロゴロいたら嫌すぎるし、ティアの言う当たり前が常識だったら嬉しいかぎりだ。

「ところでユーリちゃんは冒険者として旅をするんですか？」

「うん。船に魔法陣があるから、夜に戻れば大丈夫」

メイアさんもそうだけど他に船員さんもいるから、私は船でも冒険者として過ごす予定だ。

それと、幼女よりも少女のほうが動きやすいので、何かあった時のためにも冒険者モードでいようと思っているよ。

「きゅっ（氷のが残念そうではあるがな）」

久しぶりのオルフェウス君の頭にいて乗り心地を堪能しているモモンガさんが、手持ち無沙汰《ぶさた》なお父様の様子を教えてくれる。

そう。実のところ、私は意識してお父様の抱っこを回避していたりする。幼女モードでも気をつけていて、文字通り「ひとり立ち」をしようと思っているからだ。

高原のお屋敷で聞いた話では、お祖父様もお父様も幼い頃から自立しようと頑張っていたそうな。

それに比べて私は、前世ではアラサーという年齢だったにもかかわらず、魂レベルでお子様という体たらく。

「きゅっ（そこまで気にしなくても良いと思うぞ）」

「私が気になるからやっているだけだよ。心配してくれたの？」

「きゅきゅっ（当たり前だ。我と主は仮契約をしている仲であるぞ）」

モモンガさんはそう言ってくれるけど、ただの魔法使いが精霊王と契約するなんてあり得ないって思う。

「きゅ……きゅきゅっ（まったく……往生際が悪い。主がただの魔法使いであるわけがなかろう）」

そんなモモンガさんの呟《つぶや》きは、野太い声で号泣するお祖父様によって打ち消されてしまう。

「ユーリたん！　気をつけてなぁー！」

「まったく……本邸に行けば、またすぐに会えますよ」

人の目を気にすることなくオイオイと泣いているお祖父様を、呆れながらも優しく宥《なだ》めるお祖母様。

この状態は前日から続いているので、そろそろ笑顔で見送っていただきたいものだ。

「ところでユーリちゃん、船の名前は決めたの？」

「え、えっと、『第二モモンガ号』です」

「きゅっ（我の仮の名を使うとは、主もなかなかわかっておるな！）」

いや、何もわかってないです。聞かれた時にモモンガさんをモフしていて、自動的に出てきたのがそれだっただけです。

「あらあら、かわいらしい名前にしましたね。ところで第一と第二の船はどこかしら？」

「紛らわしくてすみません。この船しかないです……」

お父様からは「第一と第二も造るべきか」なんて言われたので、慌てて止めたよ。船は必要だろうけど、名前は別に考えてくださいねって念押ししたよ。

私もなぜ第三にしたのか分からない。ギリギリまで決まらなくて、急かされて出てきたのが『第三モモンガ号』だったのだ。

恥ずかしくて小さくなっていると、船のほうから呼びかけられる。

「そろそろ出発ですよー！」

「お急ぎくださーい！」

今回お世話になる双子の船員さんに呼びかけられて、お祖父様とお祖母様に「いってきます」と笑顔で言う。

「嬢ちゃん、くれぐれも暴走しないようにな」

「りょーかいです！」

お師匠様の言葉に直立不動で返した私は、耳もとでこっそりと「何かあったら呼べよ」と言われ、大きな声でもう一度「りょーかいです！」と返すのだった。

そうだった。お師匠様を呼べばいつでも会えるんだった。

ビアン国では呼ばなかったけど……今回は忘れないようにしよう。そうしよう。

船は出港してしばらくは魔力で進み、沖に出たところで帆を揚げて風の力を使うんだって。

色々と船員さんから教えてもらっていると、なぜか私の横でメイアさんも頷いているではないか。

なんでだろう？

「東の国の船では『符』と人力で動かすのが普通だから、帆船は珍しいの」

「人力……」

思い浮かぶのは、太鼓を叩いて船を漕《こ》ぐ強制労働の刑を科せられている人たちで……。

「わりと人気の職業で、祭りの時には花形の漕ぎ手たちが小舟で速さを競う見せ物があってね」

「あ、そうなんですね」

刑罰とかじゃなく、一種のエンターテイメントとして船の漕ぎ手がいるのね。

メイアさんから色々と話を聞いていると、ふと後ろから冷たい空気を感じた。

「ユーリ、船はどうだ?」

「風がとても気持ちいいです!」

船酔いを覚悟していたけど、波は穏やかで揺れも少ない。

前世で見ていた大型の客船よりもずっと小さいけど、快適な船旅を満喫できそうだ。

もし船酔いしたり体調が悪くなっても、うちにはティアがおりますので! 高位神官の『祈り』は万能なのだ!(ばばーん!)

「……そうか」

さっきまで少し冷えていたお父様周辺の空気が、ふんわり暖かくなる。もしかしたら心配してくれていたのかしら?

「大丈夫です。あと、素敵にも異常なしです」

「引き続き頼む」

そう言って私に伸ばされた両手は途中で止まり、軽く頭を撫でるだけになった。

少し寂しいけれどしょうがない。これも冒険者ユーリへの対応なのだから。

「いや、冒険者への対応じゃないだろ」

「ユーリちゃんはかわいいから、しょうがないですよ」

お父様の後ろにいたオルフェウス君とティアがコソコソ話しているけど、聞こえてますよ。

ところで……。

「閣下、船員さんは二人だけなんですか？　船長は？」

「あの二人には海神の加護がある。あの二人は秘密を漏らさないと海神に誓いをたてているから雇《やと》えたが……」

あ、そうか。

魔改造の船とかメイアさんの事情とか、私たちは秘密だらけだもんね。船乗りとしての経験のある人で、なおかつ秘密を守れるという条件に合うのは、彼らしかいなかったのだろう。

それもこれも、私が東の国に行ってみたいと言ったからで……。

「ありがとうございます。閣下」

「……貿易のためだ」

お父様の抱っこが恋しいけれど今はダメだ。私は（文字通り）自立している冒険者ユーリなのだから。そして、せっかくの機会だし、己の見聞をがっつり広げないとね。

今はすごくワクワクしているけれど、じわりと感じる不安もある。

海の魔女……メイアさんの件が無かったとしても、きっと避けて通れなかったんじゃないかなぁと思っているのだ。

もちろん根拠はある。

私の書いた小説とだいぶずれてしまってはいるけれど、一緒にいるオルフェウス君は主人公だし、ティアはヒロイン（候補）なのだから。

海風に流れる魔力を指先にクルッと絡めて、私は海の中深くまで索敵を広げるのだった。

20　我慢は毒で愛情は栄養だと知る幼女

お父様の抱っこについて、今回の船旅では我慢する……そんな世迷言《よまいごと》を申していたこともありました。

「ユリちゃん……抱っこオバケになってますよ……」

「我慢って言葉の意味を教えてほしいぜ……お嬢サマ……」

凪《な》いだ目をしているティアとオルフェウス君に返す余裕はない。

今の私は、座っているお父様のムチッとした大胸筋と安定感抜群の大腿筋《だいたいきん》を五感すべてを駆使し、全力でしがみついて堪能している真っ最中なのである。

「きゅっ……（だから無理をするなと言ったのだ……）」

「お嬢様、船室は魔法陣によって隔離されておりますから、我慢なさらず……」

モモンガさんとセバスさんの言葉は、耳に入ってくるものの脳内で処理は出来ていない。今の私にとって必要なのは、お父様を摂取することなのだから。

船には船室が四つある。船員室と普通の客室が二つ、そしてフェルザー家専用の部屋だ。

メイアさんに「普通の客室」のひとつを使ってもらっていて、そこには外敵から守る魔法陣はあるけれど、魔改造馬車のように室内が広くなるわけではない。

そして今の私たちはフェルザー家専用の部屋にいて、まるでお屋敷の一室のような快適空間で寛いでいるところだ。

こんな船旅でいいのだろうか……などと思いながら幼女の姿に戻ったところ、なぜか涙が止まらなくなって今に至る。

「ベルとうさま、ごめんしゃい」

「構わん」

抱っこオバケ《ユリアーナ》を優しく抱きしめてくれるお父様に、私は上腕二頭筋も併せて堪能させてもらう。

はあ……癒される……くんかくんか……。

魂を成長させるのって、すごく大変なのだなぁと実感しております。

「きゅきゅっ（主よ、無理をするな。ただでさえ保有する魔力によって成長しづらい体なのだぞ。心が追いつかないのは当然だ）」

でも、私は前世アラサーで……。

「きゅきゅきゅ！（それがどうした。見よ、この大人げなく毎日のように主を愛でている人人代表を！）」

お父様が子どもっぽいとは思わないけど、時々かわいいなぁと感じることはあるよ。

はっ！　前世でも大人でありながらも愛らしい人たちがいたけど、もしや魂が若々しいのが原因なのでは？

永遠の少年や少女とか言っている人たちも……いや、アレは何かが違うな。たぶんだけど。

「ユリア、添い寝も必要か」

「あい！」

この極上の抱き枕《きんにく》は、しばらく手放せないと思われます。

ぶれぶれになっている精神が安定するまで、よろしくお願いいたします。

「素敵は俺がやっておく」

「一応、私の『祈り』で安全祈願をしておきますね」

「きゅっ（我も風と水の精霊に命じておこう）」

オルフェウス君とティアとモモンガさんという、頼もしい仲間たちの存在に感謝しかない。

「いや、仕事だからな」

「神官として当然のことです」

「きゅっ（仮の契約じゃなければ、こんな面倒なことをしなくても済むのだぞ）」

三人ともツンデレかな？　いや、モモンガさんはただの要望だから違うか。

ちなみにメイアさんは「女性として演じるのは辛いから可能な限り部屋にいる」と言っていた。

あの武士口調は刺激が強いので、本人にとって過ごしやすい環境にいてくれたらいいなぁと思う。


東の国までは船で二十〜三十日ほどかかる。

だけど、この魔改造した船ならば最短の二十日を切るとセバスさんが言っていたよ。

「海の魔女のこともありますが、魔獣の襲撃なども予想されます。何事も起こらないことが多いのですが、町で聞いた船乗りたちの話では魔獣は確実に襲ってくるとのことです」

「ギルドの情報では、セイレーンの対処法は誘惑に負けないことだっていうけど、それをしたメイアって人は大変なことになっているよな」

「私も王都で父から『祈り』の発動を早めるコツを聞きましたが、魔女の力に対抗できるかは不明ですね……」

お父様不足から無事回復した私は、一日の半分だけ冒険者ユーリになることで精神を安定させることに成功した。

三日目には元気になったので、たまにメイアさんの部屋に行ってご機嫌伺いもできているよ。

海の魔女の件でメイアさんと関わることを決めたのは私なのだから、彼女のお世話などはしっかりやらないとね。

そして船旅一週間目の今日、私たちは甲板で打ち合わせをしている。海風がとても気持ちいいです。

「ユリア、彼女の様子は？」

「海の魔女に近づくと気配でわかるみたいです」

「そうか」

「このまま東の国に進むと、海の魔女の領域に入るだろうって……」

正確には「海の魔女の領域に入るでござろう」って言ってたけど。

さて、この船には食料が必要分積んではあるけれど、それらに手をつけることはない。なぜなら……。

「本日のランチは、港町から取り寄せた海鮮料理でございます」

「お、これはルゥイとイジーが喜ぶな」

セバスさんの知らせに、双子の船乗りと仲良くなったオルフェウス君が喜ぶ。

双子の名前に何かを感じそうになるけれど、気にしなければいいだけの話だったりするよ。ちなみに船大工のマリオさんとは親戚なんだってさ。

食事は基本、セバスさんが持ってくる。精霊の移動で各地を行き来しているのだ。

移動するのはセバスさんだけで、海の魔女の件が解決するまで他の人間が移動することはないし、人員を増やすこともしないと決めている。

海では今まで以上に何が起こるか分からないから、油断大敵なのだ。

「ユーリちゃんは、お魚好きですか？」

「好きー！」

「ユーリは好き嫌いなく食する。素晴らしい子だ」

ティアの質問に答えていると、すかさずお父様からご褒美がもらえるという甘やかしが発生。しばらくはご無沙汰だったので、いただけるものは甘んじて受ける所存。

でも前に飲んだ苦いお薬だけは、ちょっとだけ残したい気持ちになっちゃいますよ。

「アレを飲まないよう、健康でいるのだぞ」

「はい！」

冒険者ユーリである今は頭を撫でてもらうのみで満足しておきますが、夜はお父様の抱っこを所望いたします！

そのような決意をしていると、私の肩で毛づくろいをしていたモモンガさんが尻尾をぶわっと膨らませた。

「きゅっ（主、水の精霊が魔女の痕跡《こんせき》を見つけたぞ）」

「魔女？」

私の言葉を聞いて、この場にいる全員が戦闘態勢になる。

「ユーリ、索敵に反応が？」

「魔女はいません。モモンガさんが痕跡を見つけたと……」

お父様に現状を知らせながらも、実際に魔女の痕跡が何かが分からない。もし、水の精霊にしか分からないものだったら……。

「セバス、船を止めるように指示を。ユーリはこの部屋に……いや、全員で事に当たろう」

まだ冒険者として駆け出しみたいなものだけど、ようやくお父様も私を一人前として見てくれるようになったんだね！

「目の届くところに置かないと暴走するもんなぁ」

「えっと、ユーリちゃんがいると助かりますからね！」

オルフェウス君の本音とティアの建前が聞こえたような気がするけど、忙しいのでスルーさせていただきますよ!!　こんちくしょう!!

◇とある武士《もののふ》は少女に救われる

拙者の名は、マシロ・メイアン・オキツグ。

帝《みかど》に仕える由緒正しきマシロ家に生まれ、武士として戦いの場に身を置く者でござる。

半年ほど前、幼き頃からの仲であるアサヨとは家の繋がりもあって夫婦となり、忙しさがいち段落ついたところで旅行に出ることとあいなった。

実は、主君である宮様から「新婚旅行に行っておらんだと!?　信じられぬ!!　人でなし!!　海くらい行ってやればよかろう!!」などと言われたのが発端でござるよ。

何もそこまで言わんでも……と思うたが。

「かの聖なる王国には宮様の姉君がいらっしゃるとか。きっと海だけではなく、その向こうまで様子を見てほしいからでしょう」

「まったく……心配ならばそう申してくだされば良いのに」

「そう簡単なことではないのでは？」

実際、かの御方が何をしたのかは伏せられているのだが、宮様によると「貴重なものを壊した」とのことでござった。

「とにかく、海の見える町まで行くでござる」

「楽しみでございますね」

アサヨの笑顔に心癒された拙者は、宮様の思惑など忘れて楽しもうと、勇んで海までやって来たのだが……。


「これは、病気ではなく呪いの類ですな」

「呪い？　なぜ妻が？」

「奥様だけではないのです。ここ最近、同じような症状になる女性が多くおられましてなぁ……呪いをかけた者にしか治せんのですよ」

この近辺での名医というから呼んだというのに、治せないと言われたことでつい苛立《いらだ》ってしまう。

妻の容体は悪くなる一方で、体を石のように変えていく呪いは、心臓に届くと永遠の眠りをもたらすという。

しかし拙者は由緒正しき家柄の武士でござる。冷静に対処するのはお手のもの……と思っていたのだが、どうやら焦っていたらしい。

漁師から買い取った小舟で単身沖へと漕ぎ出し、海の魔女を見つけたと同時に直接対決をしたところ、あっけなく身体を入れ替えられてしまったのでござる。

海の魔女の力は強大でござった。拙者のことを「面白い男」などといって遊ばれたのが不幸中の幸いであったと思う。

なぜなら身体が入れ替わった時に『符』を用いたことで、魔女の力を少しだけ使うことが出来たからだ。

おかげで妻や他の女性たちの呪いの進行を止めることが出来た……のだが。

「拙者だけでは魔女の力には敵わぬ。如何《いかが》すれば……いや、どうすればいいのかしら、か？」

なんとか聖なる王国の港町にたどり着いた拙者は、魔女の姿で情報を集めることにした。

魔女の姿で拙者の口調は怪しまれると思い、妻が使うような言葉で話すよう心がけることにする。

まずは強い力を持つ者を味方につけること。そして東の国へ戻る船を確保すること……であるのだが。

「船？　近場で漁をするくらいなら出してやれるぜ」

「沖合いの海に魔女が出るって話だ。住む所に困ってんなら俺の嫁になるかい？」

「す、す、好きです！　付き合ってくだちゃ！」

さすが魔女の身体である。必要な情報は勝手に入ってくるし、食事に金もかからぬ。

ただ拙者には愛する妻がおるゆえ、誘いには乗れぬのだ。すまぬ。

もしや運命の神という存在がいるのではなかろうか。

そう思ったのは、ひとりの少女との出会いによるものでござった。

我が国では帝を神としているが、諸外国では多くの神々がいると聞く。きっと運命の神がいるとすれば、かの少女……冒険者のユーリ殿のような姿をしているに違いない。

なぜならユーリ殿と彼女を取り巻くお仲間のおかげで、拙者は至れり尽くせりの船旅をしておるのだから。

不思議と人を惹《ひ》きつける力があるのは、外見の愛らしさだけではない。

なんと申せば良いのか分からぬが、兎にも角にもユーリ殿の近くにいるだけで、心地よい気持ちになるのでござる。

あのフェルザー家の当主をはじめ、高ランクであろう冒険者や魔法陣を操る高レベルな魔法使い、さらに高位神官までもが味方になっているのはユーリ殿の存在があればこそであろう。

あの魔女とユーリ殿は正反対の存在でござるなぁ……などと思ったところで、何かとてつもなく「イヤな」感覚をおぼえて全身鳥肌が立つ。

「……近いな」

船の中にある数人は泊まれるであろう客室をあてがわれ、なるべく外には出ないよう指示をされておった。

しかし相手は高い能力を持つ魔女でござる。

船に結界が張られてあろうとも拙者には分かる。拙者の身体を持っている魔女との繋がりが、途切れてはおらぬことを。

元の身体では武士であり、今は多少なりとも魔女の力が使える拙者には、ユーリ殿たちの隠された強さを感じ取れている。

それに、ユーリ殿が連れている小動物はもしや……。

『隠れてもムダよ。愛しのダーリン♡』

「魔女め……拙者の身体を返すでござる」

『ちょっとぉ、アタシの身体で変な話しかたをしないでちょーだい』

「ならばこの茶番、終わらせればよかろう」

『えー？　どうしよっかなぁー』

甘ったるい声に心が侵食されていくのを感じる。この感覚は二度目であり、これで最後にしたいものだ。

薄れゆく意識の中で、拙者の耳に甘ったるい声が届く。

「やだぁ、何この服すごい地味ぃー」

露出度を極力抑えに抑えた服に変化させた嫌がらせについて、大成功したと心の中で喜ぶ拙者であった。

ユーリ殿、すまぬが後のことはお頼みしますぞ……。

21　ふれてしまった少女

モモンガさんの得た情報「魔女の痕跡」を基に、念のためメイアさんの様子を見に行く。

近辺で魔女の痕跡があった理由として、メイアさんが関係しているかもしれないからね。

精霊との繋がりのあるお父様とセバスさんを甲板に残し、私とオルフェウス君とティアは客室へと向かう。

「俺が先に行く。ティアは後ろを」

「了解です！」

前衛と後衛……に分かれているわけではなく、単純に戦える二人が前後を守ってくれているやつだ。船の中とはいえ相手は魔女。油断できない。

船室のある廊下は狭いので、二人の武器は短剣にしている。私は……魔法が武器ってことで。

「きゅっ（氷のは過保護であるからな）」

そう、幼女に武器は危ないからダメって言われておりましてね。ぐぬぬ。

ちなみに北の山でも大活躍だったティアは、並の戦士が相手なら瞬殺できるくらい強い。巡礼神官という職は体力勝負とのこと。

だからティアパパは筋肉ムキムキなのかもね……元巡礼神官だもんね……。

それほど広くない船内だから、メイアさんのいる部屋には特に問題なく到着した。

「おーい。閣下からの呼び出しなんだけど、今ちょっといいか？」

「メイアンさん！　お知らせしたいことがあります！」

ドアをノックするオルフェウス君の後ろから、私も部屋にいるメイアさんに向けて声をかける。

するとドアがゆっくりと開いた。

「……何かあったのかしら？」

「はい確保ぉーっ!!」

私の声とともにメイアさんの両手を摑むオルフェウス君に、ティアは素早く『祈り』で結界を張って移動できないようにする。

私はというと、魔力でメイアさんをぐるぐる巻きにしてやった。動けば動くほど締まっていくタイプのやつですので、おとなしくしてくださいねー。

「な、なにを……」

「オルリーダー、このまま閣下のところへ」

「了解」

魔力と結界でミノムシのようになったメイアさんを小脇に抱えたオルフェウス君は、甲板へと向かう。後ろからティアと一緒についていく私に、メイアさんは何かを言おうとしたけど指先でちょちょいとメイアさんの口に魔力を詰めてやった。

呪文とか言われたら困るもんね。

「意外と容赦ないな」

「冒険者としては満点の対応ですよ」

「えへへー」

「むぐぐ、むぐー」

ドン引きのオルフェウス君と褒めてくれるティアに照れていると、メイアさんが何か私に言っているようだ。でも今は放置する。

甲板にいるお父様は私たちを見て「なるほど」と頷く。

「想定内だな」

「はい！　でも、今はどうなっているのか不明です！」

ぐるぐる巻きの魔力でミノムシ状態のメイアさんは、まだむぐむぐ言っている。これはまだ「居る」んじゃなかろうか。

私たちはメイアさんと事前に打ち合わせをしていて、もし『海の魔女』を見つけたら合図を送ることになっていた。

その合図とは、名前を呼びかける時に「メイア」ではなく、本名の「メイアン」にするというもので、体の中身がメイアさんであれば呼ばれた時は「ござる口調」で返すというものだ。

メイアさんが言うには、魔女はプライドが高いから誰かの口調を真似るなんてことはしないだろうし、これなら中身の判断がつきやすいだろうとのことだった。

なぜ偽名《ぎめい》を名乗っていたかについては、女性の姿で自分の名前を呼ばれるのが恥ずかしいからとのこと。うん。望んでいない姿だもんね。その気持ちはわかる気がする。

そもそもなぜ体を入れ替えたのかも謎すぎる。魔女の思考って、そういうものなのかなぁ。

「メイアンさん？」

「むぐぐ！」

真剣な表情でコクコクと頷いているメイアさんは、先ほどとは違って魔女っぽくは見えない。でも私はまだ拘束を解かないことにする。

「なぁ、魔女は抜けたんじゃねぇの？」

「一時的なことだと思います。それに、この方には『祈り』が届かないみたいです」

「なんでだ？」

「基本的に『祈り』は神々が『悪』と定めている存在には届くのですが……何か理由があるのかもしれません」

正直、魔女の善悪はよく分からない。

教えてもらったのは、森には善良な魔女が多いとかそういうやつだ。

でも、この魔女に関しては、迷惑千万なことしかしていない気がするよ。国交や貿易が止まっているくらいだし、メイアさんの件もあるからね。

あともう一つ、とても気になることがあるのだ。

「ねぇ、貴女は魔女だよね？」

「むぐっ！」

私は真面目な表情で首を横に振る彼女に向けている視線を、顔から身体へと下げていく。

うん。やっぱり違うよね。

「魔女じゃない時のメイアさんは、もっとたゆんたゆんしていたよ？」

「むぐっ⁉」

「そんなことはないって言われても、さっきより胸が小さくなった事実は変えられないよ」

「むぐぐ‼　むぐー‼」

「そうだね。確かめてみればいいと思う」

私が頷くと、目の前にいる彼女の身体が変化していく。

うん。やっぱり局地的に盛り上がっていくね。

「むぐ？」

どうやら戻ってきたようなので、まずは口のところだけ魔力を取ると、メイアさんは夢から覚めたような表情をしていた。

「ここは、船の、甲板でござるか」

「はい、メイアンさんですね。念のため拘束はそのままにさせてください」

「もちろんでござる」

神妙な表情で頷くメイアさん……改め、メイアンさんを、オルフェウス君とティアは微妙な表情で見ている。

やっぱりそうだよね！　メイアンさんの武士っぽい口調の違和感すごいよね！

ちなみにお父様は何も気にしていないようで「それよりも聞きたいのだが」と声をかけてきた。

「ユーリ、なぜ魔女の言葉が理解できる？」

「え？」

お父様の言葉に首を傾げていると、モモンガさんを肩に乗せているセバスさんも頷いている。

「ユーリ様は、言葉を発することができない相手と会話をしてらっしゃいましたよ」

「そう、だったっけ……？」

さっきのことなのに記憶があまりない。がんばれ！　私の残念な脳みそ！

……応援しても何も出てこないので、今はメイアンさんとの会話を進めたいと思います。

「メイアンさん、今まで意識がなかったの？」

「いや、元の姿で海の底にいたでござる」

「海の底……」

セバスさんの肩を見ると、ふわりと飛び上がって私の肩に着地するモモンガさん。

「きゅっ（海の底とは、水の精霊の目にも届かぬ場所のようだ）」

なるほど。痕跡は見つかっても魔女本人は見つからないってことか。いや、メイアンさんの元の姿だから武士っぽい外見なのだろうけど……。

「ユーリ殿は、魔女に何を言ったでござるか？　意識が戻ると同時に、ものすごい衝撃を受けた名残があるのでござるが……」

「メイアさんの時と体形が違うって言っただけですよー」

「体形……でござるか？」

不思議そうに首を傾げるメイアさん。いや、そのあたりは私にもよく分からないです。きっとセンシティブってやつだと思います。（すっとぼけ）

22　魔女に凸《とつ》する少女

そうは言っても、私は女性の体形がどうであろうと気にするタイプではない。ないったらない。

たまにティアのたゆんたゆんを凝視することもあるけれど、あれは猫が動くものに目が離せないみたいなアレであって、思うところがあるわけではない。……たぶん。

「とりあえず、魔女は海に戻ったみたいなのでモモンガさんに……」

精霊とやり取りを続けてもらおうって言いかけて、何かを察知する。

その瞬間、ふわりと抱き上げられた私の目の前で、凄まじい勢いで水柱が立った。

「……来たか」

え、なに？　なんのこと？

オルフェウス君とティアが戦闘態勢になっている中で、お父様の抱っこからセバスさん抱っこへ流れるようにチェンジされている私は置いてきぼり状態だ。

ところでメイアさん、魔力簀巻《すま》き状態のまま床に転がっているけど大丈夫かしら？

「きゅきゅっ（我がついておる）」

おお、さすがモモンガさん。

そしてちゃっかりメイアさんの「谷間」にうまいこと収まっているのは……いや、今はそれどころではない。

眉間のシワが深まっていくお父様の視線は、いまだ湧き立つ水柱の中に向けられている。

勢いがなくなる水しぶきの中から現れたのは、見目麗しい……まるで芸術品のような隆々《りゅうりゅう》とした筋肉を持つ男性。身につけているのは着物だろうか。

着物……そうだった。予想はしていたけれど東の国の人の服装は着物なのか。なるほど。だいぶ胸元が開いているのが気になるところだけど、あれは開いているのではなく開いてしまうのかもしれない。（盛り上がる大胸筋由来）

現れた男性をじっと見ていたら、お父様が振り返って私を見ている。

大丈夫ですよ！　確かにあの筋肉もすごいですけど、私はお父様の筋肉が世界で一番素晴らしいと思っておりますから！

そんな父娘のアイコンタクトをぶつけ合っていると、メイアさんが男性に向かって叫んでいる。

「魔女！　拙者の体を返すでござる！」

「うるさいわね！　その体のまま、変な口調で喋《しゃべ》らないでよ！」

まぁまぁ二人とも落ち着きなさいよ。口調に関してはお互い様なんだから。

すると、こちらの様子に気づいた魔女が、ムキムキの身体をくねらせながらお父様に流し目を送る。

「さっきも思ったけど、素敵な殿方がいるじゃない♡　ぜひ今夜ご一緒したいわ♡」

「気色悪いことを言うな」

バッサリと切り捨てるお父様。

この魔女、大丈夫？　今の自分の状況と外見《ムキムキマッチョメン》を把握できているのかな？

「も、もちろん、私の体を元に戻したらに決まっているじゃない！」

「戻ったところで気色悪さは変わらんだろう」

バッサリと切り捨てるお父様。本日ぶり二回目である。

思わず笑ってしまったところ、魔女はメイアさんの目を青く光らせ、ギロリと私を睨みつけた。

「生意気な小娘ね！　呪われたいの？」

「呪い？　やってみればいいよ！」

何やらイライラしてきた私は、魔女に向けて魔力を飛ばそうと指を向けたところでセバスさんに止められてしまう。

その理由は、すぐにわかった。

周囲の空気が一気に冷えて、濡れている甲板が凍ってしまったから。

そして言わずもがな原因であるお父様の濃密な魔力が漂う中、離れた場所で様子を窺っていた双子船員がクシャミをしているよ。うちのお父様がすみません。

「……あら、なかなかの魔力持ちみたいね。でも、この海にいるかぎり私には届かないわよ」

そう言って手をウネウネと動かす魔女は、オルフェウス君とティアのほうを向いて舌打ちした。

剣を構えるオルフェウス君の横には『祈り』の姿勢をとるティアがいる。

「高位の神官？　……やりづらいったらないわね」

悔しそうな魔女だけど、外見は筋肉《ムキムキマッチョメン》だから違和感がすごい……正直キツい……。

すると次の瞬間、魔女がメイアさんに向けて手から青く光る玉を飛ばした。

モモンガさんがいるから大丈夫だと思ったのに、ちょっとなにやってくれてるの⁉　まったく毛玉が動いてないんですけど⁉

「きゅっ（落ち着け主。よく見るのだ）」

魔女《ムキムキマッチョ》の姿がみるみる透明の水になってバシャっと甲板に落ちたと思ったら、魔力で簀巻きになっていたメイアさんが着物姿の男性へと変化していった。

ムキムキと筋肉が育っていくのは数秒くらいだったけれど、正直ちょっと不気味だと思ってしまったのは許してほしい。

「もどったでござる！」

「さっきのは、魔女が元の体に戻したものか？　アンタが本物のほうか……」

オルフェウス君がメイアさん……改め、メイアンさんに駆け寄って助け起こしていた。

そこで、とんでもないことに気づいた私はあわてて問いかける。

「メイア……メイアンさん！　魔女はどこですか⁉」

「ユーリ様⁉」

セバスさんの腕から飛び降りた私は、魔女の行方を追おうとしていた。

なぜなら、さっきまでいたはずのお父様の姿と魔力の気配がないから。逃げた魔女を追ったか、もしくは魔女に連れ去られたか……後者だったらどうしよう。

「拙者ならば魔女の気配を追えるでござる。この『符』で案内させるでござるよ」

魔女が体を乗っ取っていた時よりも、さらにムキムキが増量している大胸筋をピクピクと動かしながら、メイアンさんはどこから出したのか一枚の紙を取り出し息を吹きかけた。

すると紙が魚に変化して海に飛び込んだではないか。

「おじょ……ユーリ、飛び込むなよ。魔女相手でも閣下なら大丈夫だ」

「私も『祈り』続けますから、もう少し待っててくださいね。ユーリちゃん」

オルフェウス君とティアから太い釘を刺されてしまう。なぜだろう……私はそこまで暴走するキャラじゃないのに……。

「きゅっ（主は氷のに対してのみ、本能で動いておるぞ）」

「状況が判明するまでの辛抱でございますよ」

うう、モモンガさんとセバスさんまで……。

ぐぬぬと唸《うな》っていると、様子を見ていた双子の船員たちがおそるおそるこっちに来た。

「この船は魔獣よけの魔法陣があるそうですが、さきほどのは……」

「この船の魔法陣については、機能はしていたようです……」

フェルザー家の船は魔改造しまくっているから無人で走ることもできるけれど、さすがにメンテナンスは必要だ。

他の船にもある程度魔法陣が刻んであるもの。だから船員であっても知識はあるので、お祖父様が選んだ双子さんたちは特に優秀だと思われる。

「船に異常はありませんね？」

「はい。ご安心ください」

「一部凍った箇所は状態維持の魔法陣で元どおりです」

「では、業務に戻ってください」

「「了解です！」」

セバスさんの言葉にいい返事を返した双子船員が去っていくと、メイアンさんが海へと手を差し出した。

すると海から魚が跳びはねて、メイアンさんの手のひらに乗ったと思うと紙に戻っていた。

紙を見せてもらうと、数字がいっぱい書かれている。

なんだろう。これ、どこかで見たことがあるような……？

「どうやら拙者が捕まっていた場所にいるようでござるな。して、ユーリ殿はいかがいたす？」

「もちろん！　閣下を救出します！」

23　海の魔女に凸する少女

意図せずお父様と離れたのは、これが初めてではない。

だからなのか、不安でありながらもどこか安心感があったりする。

もしかしたら危機感が薄いだけなのかも……？

「あの閣下のことだから、そう簡単に何かさせることはないと思うけどな」

「私にも『神託《しんたく》』はないので、閣下に異常は起きていないようです」

軽い口調のオルフェウス君とティアの言葉に、少しだけ肩の力が抜けた気がする。やっぱりこの状況は、私に対して緊張《ストレス》を与えているのだろう。

「先ほど使ったこの『符』に魔女のいる場所を特定させたでござる。海の中に入るが、泳ぎは大丈夫でござるか？」

泳ぎ……前世ではスイミングスクールに通ったことがあるから、泳げるとは思う。

でも海の中ってプールとは違うよね？　それに海の中にダイビングするのなら、呼吸とか水圧とか色々と何とかしないと……。

「メイアンさんはどうやって海の中に？」

「拙者には『符』があるので心配ござらんよ」

ぐぬぬ、東の国の『符』が万能すぎる件！

こっちはどうしようと困った時のセバスさんを見れば、ニッコリと笑顔で頷かれる。

「旦那様がお戻りになるまで待つほうがよろしいかと」

「それじゃダメです！」

うわーん！　セバスさんがお父様を放置しようとしてるー！

確かにお父様なら自力でどうにかしそうだけど、私が心配しているのは別のことだ。

ティアと（比べるのはどうかと思うけど）メイアンさんよりも（胸部が）小さいとはいえ、海の魔女はなかなかの美人だった。

海の水以上の塩対応をしていたお父様だったけど、あの魔女が持つ力はとても厄介な感じがする。

なぜかメイアンさんの大胸筋の谷間に収まっているモモンガさんを見ると、ドヤ顔をされた。

「きゅきゅっ（風の精霊に頼み、水の中で呼吸ができるようにしたぞっ）」

おお！　さすがモモンガさん！　忘れかけていたけど君は精霊王だったね！

心の中で会話していた私は、もう一度セバスさんを見ると微妙な笑顔を返されてしまう。

「仕方がないですね。私も契約精霊を使いますか」

そういえばセバスさんも精霊を持っていたっけ。……ってことは、海に入る方法を知っているのに使わないつもりだったってこと⁉

「旦那様に言われていたからですよ。自分に何かあってもユーリ様の安全を最優先するように、と」

「私は一介の冒険者です！　閣下を助けるのを最優先にしてください！」

セバスさんの考えじゃなく、お父様の過保護《あまやかし》が原因だった件。

双子の船員に船の管理を頼んだ私たちは、海の魔女を追って海の中へと飛び込むのでした。

いざゆかん！　深く暗い海の底へ！

お父様を魔女の手から救出するために！

……こんなことなら水着を買っておけばよかったなぁ。


海の魔女《セイレーン》がこの近辺の海を縄張りにしたのは、ここ数年のことである。

以前は波が穏やかな南の島を拠点としていた彼女は、ここ最近に起きた「世界の変動」により、拠点を動かさざるを得ない状況となったのだ。

彼女が拠点としていた海底には太古の火山があった。かの変化は大地をゆり動かし、あと数百年は休む予定だったその火山を目覚めさせてしまったのだ。

海の中にある火山が噴火したことにより、穏やかな生活を送っていた海の魔女は北へと拠点を移すことになった。

森で生まれた魔女は、森の恵みから力を得て、森が死ぬ時が寿命となる。

それ以外の魔女は人間の生気を吸って力を得ている。魔女である限り寿命が無いため、力を得ることができれば美しさを保ちながら永遠に生きることができるのだ。

南の海域を拠点としていた時は、力を得るのに困ることはなかった。南の島に住む人間や動物は情熱的な性質であるため、魔女ひとり分くらいの生気は何もしなくても得ることができたのだ。

ところが今、海の魔女《セイレーン》が拠点としたこの場所は違っていた。

「この海域の人間は皆おとなしくてぇ、南の島の人間よりも情熱的じゃないからぁ、イライラして呪っちゃったのよねぇ」

深くて暗い海の底にある魔女の拠点は、その場の風景とはそぐわないきらびやかな明かりが灯されていた。

珊瑚《さんご》と岩で造られた派手な色づかいの建物内には空気があり、火なども扱えるようになっている。

他の魔女は知らないが、彼女にとって海の底であろうが「目立つようきらびやか」にするのが当たり前という考えを持っていた。

部屋の中には、どこから調達したのか貴族の一室のような調度品が取り揃えられており、高級な茶葉を使用した香り高い茶が用意されている。

ところが海の魔女であり（自称）絶世の美女を目の前にして、頬を赤らめるどころか無表情の美丈夫がいる。

部屋の中は冷えているはずなのに、ティーカップの中の茶は冷めずに湯気が立っていた。

「ちょっとぉ、聞いてるのぉ？」

「……」

男の眉間のシワが深くなっていく。しかし彼女は気にすることなく話し続ける。

「だからね、人間の生気を力にしているのよぉ。いいじゃない、ひと晩くらい付き合ってくれてもぉ」

「……」

「魔女に魔力は届かないってばぁ」

「……」

海の魔女はのんびりと構えていた。男が魔力を放っているのは自分を攻撃するためではなく、氷の壁を作っているからだ。

しかしそれも魔力が尽きれば壊れるものであり、その後でゆっくりと自分好みの美丈夫から生気をいただこうと彼女は考えている。

彼女は自身の力を過信していた。そして、自分にとって都合の悪いことは忘れてしまう性格だった。

なぜなら魔女には「天敵」が存在しない。魔女の力は人の身を超えたところにあるから、たとえ体を刻まれても死なないのだ。

ただし何事にも「例外」というものがある。

彼女は忘れていた。

船で言われた嫌な言葉も。小さな少女に魔力で拘束されたことも。

それは彼女にとって、まさに「忘れたくなる都合の悪いこと」だったから。

24　物理に万能性を見た少女

「俺らの対抗手段は少ない。ここからはユーリを主体にしていくぞ」

「私の『祈り』も魔女には届かないようです。彼女は人の道から外れていますから……」

オルフェウス君とティアの言葉に、私は「大丈夫！」と頷いてみせる。

海の魔女がメイアさんのふりをしていた時も私の魔力で拘束できていた。それに魔女が元の姿に戻る時に飛ばした光も、なんとかできるような気がする。

……気がするだけ、なんだけどね。

海に飛び込んだ私たちは今、モモンガさんの力で全身を大きな空気の泡に入れてもらっている。

呼吸ができるように時々上から泡が降ってきて、ちゃんと空気の入れ替えをしてくれているのがすごい。モモンガさんが精霊に指示しているのだけど、精霊使いの人もこんな細やかにできるのかな？

「日々、精霊とやり取りしておりますが、まだまだだと思い知らされました」

「モモンガさんは別格だから……」

セバスさんの言葉に、私は苦笑しながら返す。

さすがのセバスさんも精霊王にはなかなか追いつけないようだ。でも追いつこうとしているポテンシャルはすごいと思う。

「ええと……海の魔女は人を石にする呪いを出すんだっけ？」

「メイアン様の件もありますし、他にもあると思いますよ。魔女の力は変則的ですからお気をつけください」

「はい！」

セバスさんの助言に頷きながらも、どうやって気をつければいいのやらと少し笑ってしまった。

そして、笑ったことで自分がかなり緊張していたことに気づく。

「そうです。このような時こそ肩の力を抜きましょう」

「うん。ありがと」

やっぱりさすがセバスさんだよね。さすセバ。

ところで、海の中という特殊な状況もあるけれど、この状況だと落ち着かない最たる理由が私にはある。

「海だと匂いがわからない！」

「匂いがないと落ち着かないとか、ユーリは動物かよ……いてっ！」

ソワソワする私を見て笑うオルフェウス君に何かが当たっていたのは、セバスさんからの教育的指導だと思われる。うん。笑ってくれてもいいのだよ。

でも私にとって匂いは重要だ。

お屋敷にいる時は『影』の人たちが見守っているのを匂いで察知しているし、なによりも匂いがあると安心するのだ。

まぁ、幼女なんて野生動物みたいなものですし。（ただし中身は以下略）

「魔力の流れも水の中だと分かりづらい」

「確かに、水の中で魔力をとらえるのは初めての経験です。私も感覚を掴むのに時間はかかりましたが、ユーリ様なら大丈夫ですよ」

「そうかなぁ」

セバスさんからの励ましに周囲の魔素を見ながら唸っていると、オルフェウス君が「もう感覚が掴めている師匠すげぇ」と目をキラキラさせている。確かにさすセバ。

「こちらの方角に『符』が反応しているでござる」

「さっきより動きがゆっくりですね」

「前の時と同じ動きでござる。この先に魔女の住処《すみか》があるでござるよ」

泡の中でも器用に動けているのは、きっとメイアンさんの筋肉たちのおかげだろう。

芸術品のような筋肉に見惚《みと》れていると、横に来たティアがこてりと首を傾げる。

「呪いを受ける前、メイアン様は海の中で魔女に会ったのですか？」

「うむ。『符』の力で方角は分かるが、前回は潮に流されて難儀したでござる」

え？　メイアンさん『符』の力で方角しか調べなかったの？

自力《きんにく》で解決したの？　すごくない？

驚愕の事実におののきながら、メイアンさんの案内でたどり着いた私たちが目にしたものは……。

「これが……魔女の住処……？」

「なんだこりゃ……」

「独特な造りですね」

極彩色《ごくさいしき》という言葉が浮かんでくるほどの、ケバケバしい建物が目の前にある。

近づきたくはないと本能が叫んでいるけれど、セバスさんの助言で見た魔力の流れはド派手な建物からきている。

「お父様……」

アイスブルーの冷たく輝いている魔力の色は、お父様のものだと思う。

「あの建物の中は空気があるでござるよ」

「それなら呼吸の心配はないですね」

オルフェウス君が私の前に出て、剣を鞘《さや》から抜く。

「盾くらいにしかならないけど、俺らのことは気にせず閣下を救出することだけに集中しとけよ」

「魔女には効きませんが、私たちの能力上昇を『祈り』ました」

「ありがとう！」

仲間たちからの心強い言葉に後押しされて、私は勢いよく建物に向かって泳いでいく。

メイアンさんが新しい『符』を取り出し、建物の壁に貼ったらポコっと人が通れるくらいの穴があいた。なにそれすごい。

「魔女の力で建物内には水が入らないので、このまま行くでござるよ」

「モモンガさん、精霊の泡はそのままで！」

「きゅっ！（了解！）」

海の中に追い出されたら困るもんね。

建物の中に入れれば、目が眩《くら》むほどお父様の濃密な魔力で満ちていた。

どうやらここはエントランスのようなもので、お父様と魔女は奥にいるみたいだ。泡の中にいても冷たい空気が流れてくるのがわかるくらい。

覚悟しよう。……お父様の機嫌の悪さを。

「たのもーうっ‼」

ふたたびメイアンさんの『符』で壁に穴があいた瞬間、全力で叫んだ。

ところが部屋の中は真っ白な靄《もや》に覆《おお》われていて、お父様らしき姿は見えない。ええい、邪魔だ！

「モモンガさん、泡を消して！」

「きゅっ！（承知！）」

「ユーリ様⁉」

心配するセバスさんの声が聞こえるけど、何かあればモモンガさんがなんとかしてくれるはずだ。

精霊の防御を消した状態で部屋のなかに駆け込むと、真っ白な靄は凍えるほどに冷たい。

私は以前、お父様の魔力が暴走した時のことを思い出していた。これは危険すぎる。主に相手の命が。

その時、ふわりといい匂いがしたので、ほぼ条件反射でしがみつく。

「……ユリア？　いや、ユーリか」

「ユーリです寒いです」

「ああ、すまない。つい暴走させてしまった」

当たり前のように抱っこされた私は、お父様の様子を（主に衣類の乱れを）確認した上でひと安心する。

魔女に変な呪いをかけられてなくてよかった。メイアンさんみたいに体を乗っ取られちゃったらどうしようと思っていたから。

我に返ったお父様が、周囲に放った魔力を自分へと瞬時に戻す。すると靄で見えなかった部屋の様子が見えてきて……。

「わぁ、こりゃ派手にやったな」

「家具がすべて氷になってますね」

「魔女はどこでござるか？」

お高そうな調度品がすべて氷漬けになっているのはさておき、魔女の姿が見えないのが気になる。

メイアンさんも『符』を出しているけど反応がないみたい。

するとお父様が私を撫でながら言った。

「魔女ならそこにいる。氷で閉じ込めた」

「え？」

目の前にあるのは氷の塊《かたまり》で、誰かがいる気配は感じられない。

「きゅっ（主よ、壁ぎわだ）」

「壁ぎわ……？」

モモンガさんが差し出す前足を見れば、お高そうなチェストの横に張り付いた氷の塊があり、奥のほうで何かが蠢《うごめ》いている。

はて？　どこかで見たことがあるような、この既視感はたぶん……砂漠にあった王家の遺跡で、お父様が氷漬けにしたピンクの蜥蜴《とかげ》だと思う。

まさかこれ……。

「魔女、ですか？」

「そうだ。怪しげな術を使われたから、それごと氷漬けにした」

「術ごと、氷に……？」

どうしよう。お父様の言っていることは受け止められるけど、理解ができない。

それに、魔女に対して魔力や魔法はきかないんじゃなかったっけ？

「ただ魔力で作った氷で閉じ込めただけだ」

いやそれがよくわからないんですって。

まさか物理的になんとかしたってことですかお父様。そんな脳筋理論で魔女をおとなしくさせたのですかお父様。

お目目ぐるぐる状態の私は、まるで幼子《おさなご》にするように背中をぽんぽんされている。

お父様、冒険者ユーリの時はやめてもろて……。

25　海の魔女と対決する少女

さて、氷の塊（蠢く魔女入り）を前にした私たちは、どうしたものかと悩む。

メイアンさんは自分の体を取り戻したし、あとは家族にかけられた魔女の呪いが解かれたら万々歳。

こちらは何事もなく清らか（？）な状態のお父様と再会できたので、あとは船に戻って東の国に行けば問題なしだ。

「旦那様、中身が動かなくなってきておりますが……」

「うむ。密閉させているからな」

お父様の徹底ぶりが凄まじい。でも、それだと呼吸ができないのでは？

魔女が死んでしまうのではないかとソワソワしていると、セバスさんが私を見て微笑む。

「うら若き乙女たちもおりますから、ここは避けた方がよろしいかと」

「……そうか」

セバスさんの言う通りですよ、お父様。

生かしておかないとメイアンさんのご家族にかかった『呪』が、どうなっているのか聞けないですし。

氷の塊の中で蠢く魔女に向けてお父様が指を鳴らすと、氷が崩れて中で水になっていた部分とぐったりとした魔女が現れた。

青い髪と青いドレスも濡れて黒っぽく見えているから、前の世界である有名なホラー映画に出てくる系女子みたいになっちゃってる。

「あ、あ、アンタ……氷の、魔法で……なんて、ことを……ゲホゲホッ」

「こちらをどうぞ」

「……いただくわぁ」

どこから取り出したのか、大きめのタオルと飲み物が入っているカップを優雅な動作で手渡しているセバスさん。さすセバ。

寒さで震える魔女が何か口の中で唱えると、濡れた髪や服が乾いた状態になった。何それ便利そう。

「魔女、拙者の家族にかけた呪いを解いてもらうでござる」

「……もう『呪』は解けているわよぉ。余計なことに力を使っていたら死んでたものぉ」

間延びするような魔女の口調は余裕そうにも見えるけれど、ところどころ声が震えている。

どうやらよほど怖い目にあったみたい。ピンク蜥蜴の時よりも分厚い氷だったから、文字通り死ぬほどお父様を怒らせたんだろうな……。

もうお父様をどうこうする気はないのか、魔女は部屋の氷も何かを唱えて元どおりにしてみせる。

魔力が動いてないのに現象が起きているのが不思議だ。

「さてとぉ……気が進まないんだけど、領域を侵す者とは戦わないとだめなのよねぇ。それが海の魔女の掟《おきて》だからぁ」

「戦うって何をするの？」

「海の魔女《セイレーン》といえば、歌で対決するのが醍醐味《だいごみ》ってやつだしぃ」

私に向けて返した魔女は、うんざりしたようにメイアンさんとお父様を見る。

「そこの唐変木《とうへんぼく》な二人は問答無用で攻撃しかけてくるしぃ、海の魔女をなんだと思ってんのって感じよぉ」

「でも、最初に呪いをかけたからじゃ？」

「勝手に領域を侵したんだから、呪いくらいかけるわよぉ」

どうも話が噛み合っていない気がする。

そういえば高原のお屋敷で魔女について調べた時、人ではないから人の道理が理解できないと書いてある本を読んだ。

ならば、魔女の道理で進めればよいのでは？

「歌の対決……」

そう言った私の頬を、抱っこしているお父様がやさしく撫でてくれる。

「ユーリ、歌ならば私たちが勝利する。こちらには天使がついているのだから」

「天使？」

なぜか自信満々なお父様の言葉に、こてりと首を傾げる私。

するとセバスさんが「まさか……」と戦いていて、オルフェウス君とティアとメイアンさんが私と同じように首を傾げている。

「きゅ……きゅっ（さて、我は外に……こ、こら離せっ）」

こっそりとモモンガさんが外に出ていこうとしていて、セバスさんに尻尾を掴まれている。

それはさておき、天使ってなんだろう？

「セバス」

「かしこまりました」

お父様の呼びかけに対し、恭《うやうや》しく一礼したセバスさん。その肩から飛び出した薄い緑色の光は精霊で、部屋の中を勢いよく飛び回って風を吹かせていく。

気づくと私たちは透明のドームの中にいた。海の底は暗いけれど、モモンガさんが飛ばしている泡がライトの代わりに光っているからか、ドームの中だけとても明るい。

「人間のくせに、なかなかやるわねぇ」

「恐れ入ります」

たとえ敵である魔女が相手でもセバスさんの丁寧な対応は変わらない。さすセバ。

私はお父様抱っこから解放されて、なぜかドームの真ん中に立たされている。

まさか……私が歌うの……？

「では、海の魔女殿と歌声対決をいたしましょう。僭越《せんえつ》ながら私が場を仕切らせていただきます」

「それはいいけどぉ。勝ったらここにいるイイオトコたちをいただいちゃうわよぉ」

「こちらが勝った場合は？」

「うふん♡　なんでもしてあげるぅ♡」

そう言って海の魔女は、暗い海の色の瞳を細めて笑っていた。


舞台は整っている。

海の魔女《セイレーン》と相対する無謀な少女《わたし》は、横にお父様《ごほうび》を従えて立っている。

セバスさんの取りなしで先攻は私とのこと。

なんだろう。この気持ち。

まな板の鯉《こい》？　いや、そうじゃない。私は腑《ふ》に落ちないのだ。

なぜ、お父様はセイレーンに歌声で対決するなんて無謀なことを言い出したのかってことだ。

もう勝ったも同然だと余裕の笑みを浮かべている魔女を睨みつけて、私は半ばヤケになって歌う。

せっかくだから、私の十八番《おはこ》をお見舞いしてやんよ!!

大きく息を吸ってから、馴染みの旋律《せんりつ》に声を乗せていく。

前の世界でエンドレスリピートで聴いていた女性歌手の曲は、神様と対話する少女を歌っていた。

歌いながら周りを見れば、セバスさんとメイアンさんは穏やかな表情で見守ってくれている。

オルフェウス君は青い顔で膝をついていて、肩に乗っているモモンガさんに何か話しかけている。

その横にいるティアが必死に祈っているのは、私の勝利のためなのだろう。

そうだね。相手が誰だろうと、私がやることはひとつしかないのだ。

私を信じてくれる仲間を、そしてお父様を信じること。

さぁ、海の魔女だかなんだか知らないけれど、私は精一杯歌うだけだ。

最後のフレーズを歌い上げた私は、横にいるお父様を見上げる。

「さすがだユーリ。お前こそ海の底にいてもなお、天使の輝きに満ちている」

「えへへ……」

ちょっと親バカが入っていると思うけど、我ながらいい感じに歌えたと思うんだよね。

さて、魔女の反応はどうだろうと見てみると、なんと泡を吹いて倒れているではないか。

慌ててセバスさんを見れば、笑顔で頷いている。

「海の魔女は対決の続行が不可能のため、冒険者ユーリの勝利とします！」

宣言と同時に、観客になってくれていたオルフェウス君が震えながら立ち上がる。

「くっ……師匠、俺……俺っ……!!」

「まだまだですね。ですが、意識を保っていられたのは及第点を差し上げましょう」

「厳しいな……けど、俺はまだまだ強くなれるんだって、お嬢サマに教えられちまったぜ……」

「よくぞ言いました。そう、貴方が強くなるのはこれからですよ」

何かを成し遂げたみたいなことを言っているオルフェウス君に、セバスさんがいつもより柔らかな微笑みを浮かべている。

師弟愛が深まってなによりだけど、オルフェウス君に私が何を教えたんだろう？

「ユーリちゃん……ありがとう……今こそ父に会って、育ててくれた感謝と愛を伝えたいと思います……」

なぜか顔色の悪いティアが弱々しい笑みを浮かべ、私に遺言みたいなことを伝えようとしているよ。

お礼を言われる理由がないし、あんなに仲が悪かったクリス神官に感謝と愛を伝えたいだなんて、いったいティアの身に何が起こったの？　そして体調は大丈夫？

「ちょっと膝が震えてしまって……しばらく休めば大丈夫です……きゃっ」

「失礼、船に戻るまで私がお運びいたします」

「あ、あ、あああああありがとうございましゅっ」

セバスさんにお姫様抱っこされたティアは、顔を真っ赤にさせてお礼を言っている。あと噛んでいる。

私は子ども抱っこなのに、ティアにはお姫様抱っこなのねセバスさん。色々な意味でさすセバ。

ところでメイアンさんは、歌の途中でモモンガさんと一緒に魔獣退治をしていたんだって。

まったくタイミングが悪い魔獣だなぁ。せっかく頑張って歌ったのに……。

26　夜の港に降り立つ少女

「大変失礼いたしました。もう、この海域で人間に迷惑をかけません」

船に戻った私たちは今、魔力で簀巻きにされている海の魔女から土下座をされているところだ。

そしてやっぱり私の魔力は魔女にも通用するっぽい？

ところで簀巻き状態なのに土下座するなんて、海の魔女めっちゃ器用だな。

顔色が悪いどころか真っ白になっていて、対決前までムンムンに振り撒《ま》いていた色香も驚きの無香状態になっている。

メイアンさんや呪いをかけられた人たちには申し訳ないけど、これだけ萎《しお》れていると少しだけかわいそうになってきた。

「もう悪いことをしちゃダメだよ」

「はい。もうしません」

ずっと震えている海の魔女は、もう抵抗しないと思う。お父様を見たら頷かれたので、彼女の簀巻きは解除することにした。

さぁ、もう海にお帰り……と思ったけれど、海の魔女は土下座のまま動かない。

あれ？　足がしびれちゃった？

「負けたら、なんでもすると『呪』がかけられております。ご命令を」

「え、なんで……」

「魔女の約束は『呪』となります。ですから、魔女と対決するなんて普通の人間はしないのです」

その普通じゃないことを、お父様は提案したってことですか。そうですか。

なんとなく面白くない気持ちになった私は、恨めしげにお父様を見上げる。

「ユーリは天使だ。普通の人間だと思うのがそもそもの間違いだろう」

「……てんし、ですか？」

「ユーリの歌を聴いたのだからわかるだろう」

いいえ、歌った本人ですがわかりませんお父様。

何を言っているんだという顔をしている魔女に、私も激しく同意しますお父様。

「確かにお嬢……ユーリは普通じゃないよな」

「ユーリちゃんの歌声で、私の『祈り』はさらに洗練されたと思います」

「そ、そう？　ありがとう？」

真面目な顔のオルフェウス君とティアに、私はお礼で返しておく。……褒められたってことでいいんだよね？

よくわからないけど満足げに頷くお父様がいるから、きっと悪いことではなかったのだと思う。たぶん。

「メイアンさんは魔女に何かしてほしいことがある？」

「拙者は家族への呪いが解ければ、何もいらないでござるよ」

それはメイアンさん、いい人すぎるのでは？

チラリと見える大胸筋をピクピクさせているイケメンマッチョに向けて、さすがにどうかと物申そうとしたところ、そっとセバスさんに遮られてしまう。

「ユーリ様、海底より上質な貝を手に入れましたので、メイアン様にお渡ししておきますよ」

こっそりセバスさんが教えてくれた情報になるほどと頷く。その貝は磨けば宝石のように輝くそうな。

うん、それでヨシってことにしておこう。メイアンさんが使っていた『符』も、お金がかかっていたかもしれないし。

それにつけても、セバスさんったらいつの間に貝拾いを……？

「じゃあ、私たちは東の国に行くし、海の魔女さんとはここでお別れってことで……」

「でしたら魂の誓約はどうでしょう！　きっとお役にたってみせます！」

なぜか私にすがりついてくる海の魔女の顔に、茶色の毛玉……もとい、モモンガさんがベタッと張り付いた。

「きゅーっ！（先に主と精霊契約をするのは我であるぞ！）」

「むぐっ！　むぐぐぐーっ！」

「きゅきゅ！（魔女ごときが我に敵うと思うてか！）」

「むぐーっ！」

そういえば、モモンガさんとは仮契約だったっけ。

モモンガさんがお怒りのあまり魔女を窒息させそうだったので、慌てて引き剝《は》がす。ついでにモフモフを撫でておこう。

「そ、その生き物は、何ですか……」

「うちのモモンガさんです」

モモンガさんはモモンガさんです。精霊王でも何でもありません。

「魔女、私を差し置いてユーリと魂で繋がろうなど、絶対に許さぬ」

「ひっ⁉」

冷たい魔力の流れを感じた海の魔女は、氷漬けになった記憶が蘇《よみがえ》ったらしく、再び土下座モードに戻った。

うーん、話が進まない。

「あの、なぜ魂の誓約なんてしようと思ったの？　魔女さんにとって不利なことだと思うんだけど……誓約っていう言葉からして、魔女全体に誓う約束じゃないの？」

「そのとおりです。誓約により魂を繋げた時、私が下位の存在になれば人間の生気を吸わなくとも生きていられるので……」

話を聞いたところ、この海の魔女は今いる海域よりさらに南を拠点としていたそうな。そこでは人間の生気を吸うことなく生活できていたとのこと。

しかし「世界の変動」によって拠点を移すことになり、今に至るって話だ。

今回の騒動は、書物にあった淫魔《サキュバス》の手管《てくだ》を参考にしたと聞いて、微妙な気持ちになってしまった。

でもね、うん……わかっているのだ。

その「世界の変動」が、私たちのせいじゃないかなぁって、うっすらとした予感がですね。いや、予感っていうか確信なんですけれども。

お父様はまったく悪びれる様子はないけど、私は罪悪感がジワジワきてますのでなんとかしてあげたいのです。

「魂の誓約は（お父様ストップが入っているので）無理だから、他ので……」

「それなら魔女の約束はどうでしょう。お呼びいただければ召喚に応じます」

「じゃあ、それで」

お父様とモモンガさんが頷いているので、それなら大丈夫だよ。

でも、彼女は人間の生気がないと困るだろうから対策を考えておこうと思う。あと数年は生きていけるとのこと。急がねば。

「ユーリ、無理はしなくていい。魔女のことならばペンドラゴンに調べさせている」

「え、そうなんですか？」

「お前が心配しなければならないことは、今回もペンドラゴンを呼ばなかったことだろうな」

「……っ⁉」

お父様の言葉に背中を冷や汗がダラダラと流れる。

え、どうしよう。

オロオロしている私に海の魔女が貝で作ったアクセサリーを手渡してきた。

「このブレスレットに『魔女の約束』を入れましたので、呼びかけてくだされば応じます」

「あ、うん。ありがとう」

「こちらこそ末長くよろしくお願いいたします」

魔女の「末長く」は、本当に長そうなので遠慮しておきます。

双子の船員さんたちは何が起こっているのか理解できてなかったろうに、船をしっかりと操作してくれている。

この船旅が終わったら追加で報酬を渡してほしいなぁと思う。後で雇い主であるお父様に進言しておこう。

まだまだ日数のかかる予定だった目的の港に到着したのは、海の魔女と別れてからすぐの夜中だった。

なぜなら海の魔女が去り際「海に頼んだ」から。

海の魔女に対して対抗心を燃やしていたモモンガさんも「水の精霊に頼むより速い」と驚いていたくらいの速さだったよ。

波がザバーッてなって、ブワーッて押し流されて、あっという間だった。（語彙《ごい》力）

船にあるぼんやりとした明かりだけでは港の様子がわからない。

せっかく念願の東の国に降り立ったのに実感は薄い。王国の港と違うのは潮風とほのかに香るお香のような匂いくらいだ。

「楽な仕事でよかったです！」

「またこの船に乗りたいです！」

「色々とご苦労さまでした……」

双子さんたちが嬉しそうだったのでよかった。フェルザー家の船にはたくさん魔法陣が刻まれていて、普通のとは違うから操作するのも楽しかったんだって。

私は説明を聞いても理解不能だったから、お父様が彼らを専属として契約したのは大正解だったと思う。

でも、せっかくお父様とお師匠様が魔改造した船をうまく活用できなかったのは悲しい。もっと船にある魔法陣を起動してみたかったなぁ。

しょんぼりしている私に、オルフェウス君が苦笑して言った。

「帰りの楽しみにしたらいいだろ？」

「でも……」

隣にいるお父様を見上げて、目でお伺いをたててみる。もしかしたら精霊で移動するのかもだし。

「帰りも船だ」

「やったー！　ありがとうございます！」

そして私たちを運んでくれてありがとう！　第三モモンガ号！

船に名前があると、ジワジワと愛着が湧いてくるよね。そして時間が経つと名前に慣れてくる不思議。

はしゃぐ私を抱き上げるお父様は、そのまま背中をポンポンと叩いてくれる。いや、今は夜中だし眠くなっちゃ……スヤァ……。

「閣下って、本当にユーリにひたすら甘いっすよね」

「ふふ、本当に仲良しですよね」

呆れたようなオルフェウス君と笑顔のティアを見た気がするけど、幼女で少女な私はお父様の抱っこの心地よさに誘われ入眠とあいなりましたとさ。スヤァ。

27　念願の国でもちもち食べる幼女

カモメなのかウミネコなのか、海辺にいる鳥の鳴き声で目覚める。

カーテンの布を通して差し込む朝日に、王国とは違う素材なんだなぁと寝起きの頭で考えていると、部屋の外から声がかかった。

「失礼します。ユリちゃん起きてますか？」

「おきてるよー」

ティアの声に肩の力を抜いた私は、えいやっと布団から起き上がる。

そう、これはベッドではなく床に敷く布団だ。

「ユリちゃん昨日は遅くまで起きてましたから、侯爵様から寝かせておくようにって言われていたのですが、もうお昼なので……」

「えっ⁉　そんなにねてたの⁉」

腕につけていた魔法陣も取られていたから、体は幼女になっていることに気づく。

昨日、港に到着してからの記憶があいまいで慌てていると、ティアが笑顔で湯呑《ゆの》みに入った白湯《さゆ》を手渡してくれる。

「大丈夫ですよ。メイアンさんはご家族のところへ一度帰るとのことでしたし、王国ではないのでどのような姿でも大丈夫だと侯爵様が仰《おつしや》ってました」

「そうなの？」

「この国の人たちは閉鎖的な環境に置かれているので、王国の情報はほとんど入ってこないそうです。黒髪の人が多いから私たちは目立つみたいで、オルリーダーが朝から情報を集めてきました」

モモンガさんが近くにいないと思ったら、どうやらオルフェウス君と一緒に散策していたみたい。後で色々と聞いてみよう。

「朝食……昼食になってしまいますが、食べられますか？」

「ベルとうさまは？」

「別の場所で執務をされていて、お昼には戻られますよ」

「なら、まってる」

会話をしながらティアが着替えを手伝ってくれる。冒険者ユーリの服装だけど、体に合わせられる魔法陣入りだから幼女モードでもピッタリのやつだ。

窓には簾《すだれ》が掛かっていて、部屋はちょうどいい明るさだった。髪も整えてもらってから簾を上げる時の感動はなかなかのものだったけど、目の前に広がる景色はさらに素晴らしいもので思わず声をあげてしまう。

「すごい！　きれーい！」

「王国の港も美しいと思いましたけど、この景色もまた素晴らしいですよね」

今いる建物が坂の上にあるようで、その下に広がるのは平家《ひらや》の瓦屋根だった。

石畳みの小道に沿うように建てられているのは食べ物屋や土産物屋で、ぜひお父様におねだりして散策したい。

目の前には海が広がっているけれど、湾になった右のほうを見ると、左右対称に裾野が広がった美しい山がある。

前世で何度も見た富士山に似ているのは気のせいだろうか。

「うみもやまも、すごくきれい！」

「不思議な形の山ですよね。セバス様が昔は火山だったと教えてくださいました」

「へぇー、そうなんだ」

セバスさんから聞いた話を教えてくれるティアの頬は、みるみる赤くなっている。

予想はしていたけれど、これは本格的にアレだね。お父様も何も言わないし、とてもかわいらしいから見守るだけにしておこう。

湯呑みの白湯を飲み干すと、ティアが片付けてくれる。お世話をかけております。

「このカップは侯爵様も気に入ったみたいで、後で買いに行くそうですよ」

「ほしい！」

「ぜひ侯爵様におねだりしましょう」

お父様とお兄様と一緒のがいい。家族愛が深まっている感じがして嬉しいから。

ティアもセバスさんとお揃いのを買うといいよ。その様子だと言うまでもなく買いそうだけどね。

旅館では部屋でも食事できるようで、従業員というよりも作務衣《さむえ》っぽい姿の仲居さんって感じの人が部屋の中を整えてくれている。

寝具を素早く片付けて、どこからか大きめのローテーブルを持ってきている。前世で言うところの「ちゃぶ台」ってやつかな？

気づけば私もティアも靴を脱いでいるし、畳のような弾力性のある床は足に優しい感じで心地いい。

「閣下はこちらに来られるようです」

「そうなんだ」

旅館の食堂だったら他のお客さんもいるし、部屋のほうがキラキラ銀髪美丈夫なお父様も静かに食事ができるだろう。この国では目立つ色彩だからね……私とティアを含めてだけど。

つい筋肉に目がいってしまうメイアンさんは、アジア風の彫りの深いハッキリとした顔立ちをしているよ。もちろん黒髪だよ。

この世界では黒髪は多神の加護がある印だから、東の国の人たちもそうなのかといえば違うらしい。

王国やその周辺国では多くの神々が信仰の対象だけど、東の国は一神教なんだって。

その祈りを捧げる時に使う香木は各所に置かれているから、ここに来た時に感じた匂いはそれだと知った。

「ユリア、体調は大丈夫か」

「ベルとうさま、おかえりなさい。げんきです」

「そうか。たくさん寝たようだな」

執務をおえたお父様が部屋に来てくれて、私を抱き上げて頭にキスをした。

いつもよりたくさん寝たことのご褒美とのこと。寝ているだけで褒められるのは幼女の特権ですな！

本当は一緒にお屋敷に連れて行こうと思ったけど、この景色を見たいだろうと旅館で寝かせてくれたらしい。

安全については、この部屋で起動しているお師匠様特製の魔法陣が描かれているから大丈夫なんだって。

ん？　旅館の部屋にお師匠様の魔法陣が「描かれている」？

「昨夜、ペンドラゴンを連れてきて描かせた」

「おししょ!?」

「ぐっすり寝ているから、今日の午後に呼び出せと言っていたぞ」

「うう……わかりました」

あの時はいっぱいいっぱいだったから忘れていたけど、今になるとお師匠様を呼べばよかった場面がいくつかあると思う。

怒られるかなぁとしょんぼりしていると、お父様が優しく頭を撫でてくれる。

「大丈夫だ。ユリアはよくやっている」

「ベルとうさまぁ……」

「あらあら、ユリちゃんは甘えたさんですね」

お父様と私のやり取りを、ティアは笑顔で聞いている。するとセバスさんが彼女に問いかけた。

「不肖《ふしょう》の弟子はどこへ行きましたか？」

「オルリーダーは情報集めに出ています」

「なるほど。それは楽しみですね」

おや、セバスさんの笑顔が……。

「準備ができているようなので、お食事にいたしましょう」

「うむ」

オルフェウス君とモモンガさんが戻っていないけれど、私のお腹が限界なのでありがたく申し出を受ける。

メイアンさんは午後に来るそうだから、今のうちに食べておかないとね。

仲居さんが準備してくれた食事は和食……ではなかった。

わかっていたけど……わかっていたけど、ガッカリしてしまう……。

私たち用にフォークとナイフも用意されているけれど、基本的にスプーンだけで食べられる料理が並んでいる。

メインは魚介類で、貝のスープと塩とスパイスで焼いた魚とエビがあって、葉っぱに巻かれた何かが主食とのこと。

「これ……!!」

「不思議な食感で美味しいですね。中に魚介の塩漬けが入っているみたいです」

ティアが口をもぐもぐしながら解説してくれる。

これ、チマキだよね？　お米のような蒸した穀物が、もちもちした食感を出していて、塩漬けの魚が絶妙にマッチしていておいしい。

もち米ではなさそうだけど、これはこれでいいよ。ビアン国では麺《めん》料理がおいしかったけど、このもちもち感もたまらないね。

夢中になって食べていたら、お父様から「たくさん食べてえらい」と褒められました。東の国と幼女の相性はバツグンですな！

スープもあっさりしていて、新鮮だからかシンプルな味付けでもうまみがしっかり出ているからおいしい。

焼いた魚やエビも、お父様に食べやすいように剝いてもらいながら「あーん」してもらいました。震えるほどおいしい。

「王国の港町の料理もいいが、ここのほうがユリアの食は進むようだな。セバス」

「かしこまりました」

何をかしこまったのかは不明だけど、なんとなくお屋敷の料理にチマキとかが追加されそうです。やったね！　さすセバ！

戻ってきたオルフェウス君とモモンガさんは、私たちが昼食（私は朝昼一緒だったけど）を終えていたことにショックを受けていた。

ごめんね。昨日から色々あって、ろくなものを食べていなかったから幼女のお腹が限界だったのだよ。

申し訳ない気持ちになっていると、セバスさんがそっと耳打ちしてきた。

「お嬢様、お気になさらず。彼らのことですから途中で何かしら食べていますよ」

なんと！　買い食いしてきたのか！　絶許！（絶対に許さないの意）

プンスカしていたけれど、私が外を出歩いても大丈夫な道や店を探ってくれたと言うので許しました。

ただし、モモンガさんは本当に遊んでいただけっぽいから、モフモフの刑でモフモフ撫でまくってやりましたとさ。

◇とある高ランク冒険者は毛玉と冒険する

俺の名はオルフェウス。

一応、高ランク冒険者としてギルド内で少しだけ有名だったりする。

今は長期に亘って対象者を護衛する依頼を遂行しているところだ。

最初は侯爵家のお嬢様を護衛するなんて気が進まなかったが、今は楽しくて仕方がない。

冒険者として家を出てから、ずっと周りの期待に応えようと努力していた。

しかし、ある程度までランクが上がったところで俺は行き詰まりを感じていた。

今だからこそ強く感じている。これまでやってきたことは、ほんの序の口だったことを。

そして本当の努力とは誰かの期待に応えるだけではなく、常に自分を高める意識を持つということを教えてもらった。

あの日。

フェルザー侯爵家からの依頼を、王宮騎士団長のオッサンが持ってきた日こそが、俺の転機だったと思う。

北の山や竜族の村での騒動や、ビアン国でのエルフとの出会い。はたまた世界の謎にまで迫るような事もあった。

驚いたのはフェルザー侯爵令嬢、ユリアーナお嬢サマの伸び代と冒険心だ。彼女の行動に振り回されることが多いけど、なかなかない経験をさせてもらっていると思う。

それに侯爵家の『影』の長である、セバス師匠にも出会えた。

師匠からは、いつも「お嬢様を守れ」と言われているけれど、実は俺が守られていることが多い。

依頼主（幼女）に守られるなんて……と言われてしまわないよう、日々たゆまぬ努力と鍛錬をするしかないと思っている。

まぁ、懸命に努力しても、なかなか師匠からセバス流の免許皆伝《かいでん》はもらえないんだけどな。

お嬢サマ念願の東の国に到着したはずが、当の本人は夢の中だ。

雇い主である侯爵サマがやたら強固な結界を張っているし、せっかくだから情報収集に出ることにした。

護衛仲間の神官ティアは、お嬢サマの世話をするから大丈夫だと言ってくれた。

あ、そうそう。

俺とティアがお嬢サマの護衛をしているのは内緒だったりする。

過保護な侯爵サマと師匠と、王宮にいる魔法使いからの同時依頼で、俺たちはお嬢サマの「冒険者仲間、兼、護衛」をしているのだ。

「きゅっきゅー」

「そうだよなぁ。お嬢サマも強いんだし、あそこまでやらなくてもいい気がするんだよなぁ」

「きゅ！」

「え？　自分がいるから大丈夫だって？　まぁ、毛玉も頑張ってんじゃねぇの？」

「きゅーっ！」

「痛《いて》ぇっ！　おい、髪を引っ張るな！　ちょっと気にしてんだからやめろ！」

お嬢サマの精霊王の毛玉《ペットモモンガさん》の言葉はよくわからないが、なんとなく感覚で会話をしていると、何がそんなに不満なのかやたら髪を引っ張られた。地味に痛い。

やめろ。親父の血が濃いと将来が危険なんだ。今から大事にしておかないと、いつか大変なことになるんだからな。

「さて……地形良し。店の状態良し。店員も良し。この辺りは大丈夫だな」

「きゅ？」

「セバス師匠直伝の技だ。どうやってんのか秘密なんだよ。毛玉は感覚でわかるだろ？」

「きゅっ！」

「俺のは情報収集の結果だ」

「きゅきゅー」

毛玉が感心したように鳴く。なんとなくだけど、見直したみたいな雰囲気だ。

まったくもって失礼な毛玉だな。

時々、出店で買い食いをしたりしながら歩いていたら、ふと道端で飾り紐《ひも》を売っている老人に気づく。

あ、これお嬢サマが好きそうだなぁ……と品物を確認するついでに、店の老人に持っていた白い石を渡す。

「はいはい。山の中腹にいる牡鹿《おじか》は、立派なツノを持っているが先は丸いよ。どうやら薬にもなるって話だ」

山というのは城のことで、中腹は宮仕えをしているという意味だ。牡鹿は敵ではないことを示し、ツノは武人であるが先が丸いから周りから穏やかな性格だと思われているらしい。

薬になるってことは、俺たちの味方になってくれるのか。そりゃ、お嬢サマは魔女問題を解決してくれた恩人だし、味方になるのは当たり前の流れだ。

それでも正確な情報は持っておく必要がある。これぞセバス流ってやつだからな。

「へぇ、そうなんだ。ありがとな」

「いやいやなんも」

にこやかに微笑む老人から、ついでに飾り紐をひとつ買う。

買ったところで誰にあげるわけでもないんだけどなぁ……。


「それ、何ですか？」

「ここから近くに出てた露店の飾り紐。他にも種類あったぞ」

「……ユリちゃんの町歩きに、ちょうど良さそうですね」

「土産とかに良さそうだよな」

なんとなく手に持っていた飾り紐を、冒険者仲間のティアに目ざとく見つけられた。なんならくれてやってもいいかと思ったが、俺からもらっても嬉しくはないだろうからやめておく。

ティアが師匠のことを目で追っているのは知っているし、師匠本人も気づいているだろう。

それでも彼女に何も言わないところが、師匠のダメなところだよな。もちろん怖いから口には出さない。

俺だったら、いくら歳が離れていようと好きになればモノにするけどなぁ。

「それで、オルリーダーは、誰にあげる予定なんですか？」

「んー、そりゃもちろん……」

「もちろん？」

「……なんでもねぇよ。俺はまだ食い足りねぇから食堂で食いもんもらってくる」

せっかく朝から情報収集をしていたのに、お嬢サマたちは先に昼飯食ってたんだよな。買い食いなんて腹にたまらねぇんだよ。俺は成長期なんだ。

「きゅっ！」

「お？　毛玉も行くか？」

「きゅーっ！」

「木の実かぁ、豆類ならあるかもしれねぇぞ」

「……オルリーダー、やっぱりモモンガさんと会話できてますよね？」

なんとなくだよ。なんとなく。

俺は感覚で生きている、根っからの冒険者なんだ。

それにしても、セバス師匠って巨乳好きだったんだな……って、痛ぇっ‼

28　情けは人の為ならずを知る少女

では、さっそく港町を散策……とはいかない。

なぜならメイアンさんの来訪が優先だったからね。そりゃそうだよね。

そもそもメイアンさんと海の魔女については、私が我儘《わがまま》を言って介入した案件だった。解決したとはいえ最後までしっかりと状況を把握しておかねば、だよね。反省。

そしてニュルッと冒険者ユーリの姿になった私は、お父様抱っこを終わらせてお出迎えしている。

そう。私は（文字通り）ひとり立ちできる系少女なのだ。

「ユーリ殿、昨夜は挨拶もせずに失礼したでござる」

「いいえ、私も早々に寝ちゃってごめんなさい。メイアンさんのご家族は大丈夫でしたか？」

「元気すぎて困るくらいでござった。今日もユーリ殿たちに礼をしたいと騒いでおったが、またの機会にするよう言い聞かせたでござるよ」

「しばらくはここに滞在するので、もしよかったら会いましょうとお伝えください」

「感謝する。ユーリ殿」

今日のメイアンさんは、昨日の着崩していた着物姿とはうって変わって身綺麗にしている。きっと奥様が選んだものなんだろうなぁ。

花のような紋が入った狩衣《かりぎぬ》を着ていて、ムキムキの筋肉も今日は隠されている。まるで平安時代の貴族みたいな……。

「ユーリ、それは後で」

「はい」

ふんわりとよぎった考えを、そっとお父様が遮ってくれる。

そうだね。旅館の玄関で話す内容じゃなかったよね。

旅館の人のご好意で広めの個室を貸してくれたので、そこでメイアンさんと話をすることになった。

お座敷なので全員靴を脱いでいるんだけど、私（とモモンガさん）以外は慣れていないみたい。

おかげでティアに「ユリちゃんは適応力が高いですね！」と妙な感心をされたっけ。

部屋に入って落ち着いたところで、メイアンさんは流れるように土下座をした。

「この度は本当に助かったでござる！　このご恩は必ず返すでござるよ！」

「メ、メイアンさん、そんなことをしなくても……」

「拙者の家族だけではない。呪いを受けていた他の者たちも助かったのでござるよ。どれだけ礼を言っても足りないでござる」

「私は……閣下はこの国で大事なご用事があったし、遅かれ早かれ魔女のことは解決する必要があったんです。むしろメイアンさんを利用しちゃったくらいで……」

「それでも、でござるよ」

メイアンさんの感謝の気持ちはとどまる所を知らないらしい。それならば、こっちの下心を出してやろうと思う。

「では、そのお返しは私の依頼主と、メイアンさんの上役との顔繋ぎでどうでしょう」

「承知つかまつった！」

いや早くない？　そんな秒で返事して大丈夫なの？

思わずお父様の顔を見ると、ひとつ頷いて私の頭を撫でてくれる。えへへ……じゃなくて、これ大丈夫なのかなって話ですよ、お父様。

「いやぁ、こう見えて拙者は宮仕えをしている身でござってな……今回の件も上に報告せねばならぬのでござるよ」

「そこで紹介してもらえると」

「うむ。見たところ、王国でも地位の高い御方でござろう？」

「王国からの使者と思ってくれていい」

うちの国と東の国は、個人単位の貿易はしていても国同士の大きな取引は行われていない。もちろん、国のトップのやり取りもなかった……はずだ。

明らかに高そうな着物を身につけているメイアンさんだから、貴族だろうと思っていたけど、正解だったみたい。

お父様が私の行動を止めないところを見ると、メイアンさんは安全ということだから、ぜひとも上の人に繋いでもらいたいところ。

「この港町は、外の国からの人間を一時的に受け入れる場所でござる。我が国に入るには通行手形を得る必要があるのでござるよ」

「つうこうてがた……」

どこかで聞いたようなアイテムが出てきたぞ。

「もちろん拙者が手配するので心配無用でござる。それに我が主君から頼まれていたことも、ユーリ殿たちのおかげで情報を得られたでござるよ」

「私たちが情報を？」

「そちら、フェルザー家の御当主でござろう？　主君の姉君がそちらに嫁いだと聞いたのでござる」

「え……」

お父様を見上げると、首を横に振った。

「私ではない。父上の話だ」

「おじい……ゲオルク様、ですか？」

「父上と母上は駆け落ち同然だったと聞いている」

そういえば、そんな話を聞いたことがあるような……？（アラサー幼女の残念な記憶力について）

お祖父様は結婚を許してもらえなかったのに、その子どもだったお父様を後継者にしたって話だったっけ。

もう亡くなっているからあまり言いたくないけど、曽祖父は貴族の嫌なところが目立つ人だったなぁと思う。

高原のお屋敷の造りには「亡き御当主」の愛情深いところが見え隠れしていたけど、それだけじゃよくわからない。もしかしたら誤解されやすい人だったのかもしれない。

「母上は外の国の出身とは聞いていたが、まさか東の国の貴族だったとは……」

などと言いながら、きっとお父様は知っていたのだろう。身内のことであれば、フェルザー家の『影』が調べてくるはず。

もしやメイアンさんのことも……あの流れだと事前に調べていたよね。ある程度は、だろうけど。

ふぅ……。私もすっかりお貴族様の仄暗い部分に染まってしまったものだ。

「それで？　そちらは母上の情報をどうするつもりだ？」

「どうするもなにも、ただお元気であればそれでいいとのことでござる」

「む？　それだけか？」

「それだけでござる」

メイアンさんについては何も心配することはないだろう。前の世界でも偉い筋肉の人が言ってたけど、健全なる精神は健全なる身体に、そして筋肉にも宿るというからね。後半うろ覚えだけど。

するとメイアンさんが私を見て、ニッカリと笑顔になる。

「恩人であるユーリ殿ゆかりの御方であれば、我が主君も融通をきかせてくれるでござるよ。たまたまそれが王国の使者であっただけでござる」

ほほうメイアンさん、お主もワルよのう……と言いたくなったけど我慢だ。

「ありがとうございます！　王国は東の国との貿易を進めたいみたいで、そちらは閉じられた国だから伝手が欲しいと思っていたんです！」

「もちろん。諸々の手続きは拙者にお任せあれ、でござる」

そう言ったメイアンさんの大胸筋は、服の上からでも分かるくらいの盛り上がりをみせていたのだった。

29　お説教を回避したい幼女

東の国に入るための「通行手形」は、発行まで数日かかるとのこと。

それならば、観光する余裕もありそうだね。

『……おい』

まずは、情報を集めるために抜け駆けしたオルフェウス君おすすめのお店に行って、それから海鮮の串焼きを……。

『おい！』

「なんでしょうか、おししょ！」

『おししょじゃねぇだろ。なぜ俺を呼ばなかったのかって聞いてるだろが』

「おししょ、ごめしゃーい」

つい現実逃避として町歩きのことを考えていたけれど、さすがにお師匠様は流されてくれなかった。

いや、流せるなんて思ってないけどね。あわよくばだったけど無理だったね。

『それよりも、なんで小さいままなんだ？　東の国へは冒険者としているんだろう？』

「ベルとうさまが、このすがたのほうが、あまりおこられないからって」

『ランベルト!!』

言われたことをそのまま伝える私を、お父様は膝に抱きあげて頭を撫でる。

「あまり怒るな。ユリアは私を助けようと一生懸命にしたことだ」

『お前がそうやって甘やかすから……』

旅館の一室でメイアンさんとのやり取りが終わり、私たちは宿泊していた部屋にいる。

畳ではあるけれど、旅行者のためなのかソファーが置かれていて、私とお父様はそこに座っていて、セバスさんとオルフェウス君とティアは立っている。

モモンガさんはテーブルに置いてあるナッツに夢中です。この毛玉、自分の中身が精霊王だってことを忘れているのでは……。

そして今は、海の魔女との戦い（？）について、お師匠様からお叱りを受けているところであります。はい。

北の山での失敗を学びとして、ちゃんと事前に「もういいかーい」「まーだだよー」のやり取りをしてから呼び出したよ。

案の定お風呂タイムだったらしく、現れたお師匠様はガウン姿だったたよ。

ティアが何かを思い出して頬を染めていたけど、今はお師匠様の話を優先させてもらう。

『さて、魔女……特に海の魔女のことが知りたいんだったな』

「はい！」

『魔女については王宮の書庫の司書を総動員させて調べたが、それよりも有用な情報が手に入った』

「ゆうよう」

お師匠様の話を聞いて、なんとも気が抜けるような感じがした。

なぜなら、高原のお屋敷にいた執事、セバス・アヒムさんから魔女についての情報を得たという話だったからだ。

アヒムさんは世界樹が海にある時代に旅に出て、今の王国に流れ着いたエルフの末裔《まつえい》だ。流浪のエルフたちは世界中に散ったが、世界樹の苗を持っていた。それさえあればエルフ族全体で情報共有ができるから。

そして、高原のお屋敷には世界樹が育っていた。だからアヒムさんはエルフ族全体と情報共有できるようになり、私たちが求めていた魔女の情報を得ることができたそうな。

「……もうちょっと、まっていたらよかった？」

『まぁ、結果良かったと思うぞ。変に知識があっても、魔女の力はどうにもできなかっただろうし』

魔力や魔法がきかないし、魔女特有の『呪』とかを使ってくるもんね。……その魔女特有の力とやらは、お父様が氷の魔法で物理的に防いでいたけど。

そういえば、海の魔女はメイアンさんが使った『符』で『呪』が絡まったとか言ってたっけ。

「東の国で使われている『符』は、魔女の力を捻《ね》じ曲げたようだった」

『ああ、俺も研究しようと一枚もらったことあるけど、使用する人間も制限されているみたいで何も分からなかったんだよな』

東の国の人であれば誰もが持っている『符』という紙は、お店で普通に買えた。

ただ、魔力を通すと使えなくなるし、特定の場所以外で『符』を使えるのは東の国の人だけとのこと。

うーん、よくわからん。

「でも、おししょ、けんきゅうしたいんでしょ？」

『当たり前だろうが。そのあたりも探ってこいよ』

「りょーかいです！」

調子よく返事をすれば、お師匠様が苦笑してから話を続ける。

『とにかく、魔女は特殊な存在だ。不老だが、不死ではない。寿命というものはないが、それぞれ依存するものから生気の供給がないと消えてしまう』

あの海の魔女は人の生気が必要だと言っていた。他の魔女のことは分からないみたいだけど、彼女は魔女であっても人に依存しているってことになるのかしら？

森の魔女は、森から生気を……いや、森にいる生き物すべての可能性もあるよね。魔女によって違うみたいだし……。

「いろいろためしたら、あうものがあるのかも？」

『そうだな。本人が思い込んでいる可能性もある』

おお！　お師匠様のおかげで、海の魔女が周りに迷惑をかけずにいられる方法がわかるかもしれないよ！　さすがお師匠様だ！

盛り上がってきたところだけど、お師匠様の後ろから赤ちゃんの鳴き声が聞こえてきて通話は終了となりましたとさ。

また新しい情報があったら教えてくれるって。

お待ちしてまーす！（他力本願）

諸々の雑務を終えて、やっと町歩きができるーってなった途端、力尽きてしまった幼女の体力の無さが悲しい。

まだ日が高いのに、お父様の抱っこに揺られて眠気が……。

「慣れぬ船旅で疲れたのだろう。寝なさい」

「あい、べるとうしゃま……」

船旅っていうほど乗っていなかったはずなのに、いつの間に疲れが溜まっていたのだろうか。

この国の今の時季は秋っぽくて涼しいし、添い寝してくれるお父様と一緒に入っているお布団が気持ち良すぎる。嬉しくて、あたたかくて、いい匂い。

添い寝されるのはちょっとだけ恥ずかしいけど、お父様もなんだか嬉しそうなので、親孝行ならぬ保護者孝行ってことにしておこう。くんかくんか。

30　人ちがいで四つ足になる少女

以前、お父様が参加した魔獣討伐軍の合同演習の相手国は「アズマ国」という。

東の国と同じ国と勘違いする人もいるのだけど、実は違うんだってさ。

なぜ今その話をしているのかというと、お兄様がアズマ国でお仕事をしているそうな。学園でのドタバタが終わったみたいだし、お屋敷に戻れば会えると思っていたのでちょっと寂しい。

「東の国とアズマ国については、同じ祖を持っていても二つは別の国だ。アズマ国に関しては我が国寄りの文化を持っている」

「なるほど。ではアズマ国の人が『符』を使うことはないんですね」

「そのとおりだ」

私たちは今、東の国の玄関である港町で、念願の町歩きをしているところだ。

セバスさんはお屋敷で書類整理をするとのことで不在。ここからは見えないけど、オルフェウス君とティアは距離をとって付いてきているらしい。モモンガさんはオルフェウス君と一緒にいる。

そこで、ふと気づく。

「ふたりで町歩きをするの、初めてですね！」

「……うむ」

お兄様とは町歩きをしたことがあるけれど、お父様と二人というのは初めてだ。

ニコニコしていたら、お父様が手を繋いでくれる。

少女《ユーリ》モードな私は上品な町娘といったワンピース姿で、お父様もラフな格好だから「お金持ちの観光客」って感じに見られていると思う。

私が狙っているのは皆へのお土産だ。

オルフェウス君が購入したという飾り紐も良かったけど、ちょっとした置き物とかもいいよね。鮭を咥《くわ》えた熊みたいなやつとか。

前の世界で友人からの「センスがないなら当たりさわりのない菓子類にしておけ」という助言を思い出す。

うーん。置き物については、自分用に購入し、他の人に見せて意見を聞いてからにしよう。

「ユーリが選んだものに文句がある人間はいない」

お父様、それはハラスメント的な感じがするので落ち着いてもろて。

王国の港町とは違って、海の色は少しグレーがかっていて気温も涼しい。昨日の夜は鍋料理が出ていたから、季節的にも徐々に寒くなっていくみたい。

道は土の道が多くて、馬や馬車の使用は禁止されている。例外は宮家で、関係しているものならすべて許されると雑貨店の店主が教えてくれた。

「確かメイアンさん、上の人が宮家だったような……？」

「いざと言う時は権限はどうにかなりそうだな」

お父様が不穏なことを仰っているので、どうか滞在中は何も起こりませんように。

いくつかお店をまわったところで、ちょうどいい焼き菓子が見つかったので大量購入。

お屋敷からセバスさんが戻ってくるタイミングでお屋敷に届ける予定なので、日持ちしないものでも大丈夫なんだけどね。

でも、もし配るとしたら生菓子じゃないほうがいいと思ってのチョイスだよ。社会人の基本だよ。

そうだ。メイアンさんに頼んでいた通行手形が発行されたら、なにかお礼をしないとね。

ここのお菓子でも大丈夫かな？　食べ物の好みを聞いておけばよかった……。

お父様は店主と会話をしているからメイアンさんの件は後にして、他に誰がいたかなぁと考えていたら海の魔女を思い出した。

いや、彼女からは迷惑をかけられているし、むしろお菓子をもらうほうでは？　と思い直す。

やれやれと店の外に目を向けたところ、肌がピリピリするような感覚が走る。

これは、何かすごく強い……感情？

『見つけた』

「え？」

店の外は、さっき見たのと同じ風景がある。

立ち止まって話し声や、店の人が呼び込む声などに耳を澄ます。

道行く人々の着物の合間に、キラリと光るのは二つの緑色の光だった。

『お前がやったのね……許さない……』

「なんのこと？」

女性の声に返すと、まるで責めるように光がチカチカと点滅した。

いつのまにやら周囲の音が消えている。おかしいと思った時には遅かったようで、ついさっきまで近くにいたお父様の姿も消えていた。

いや、違うみたい。もしかして、私の周囲だけ切り取られている？

魔力を集めようとしたけど、この空間には魔力の流れがない。まるで精霊界のようだと思ったところで「この感じを知っている」と気づく。

焦る私を嘲笑《あざわら》うかのように緑色の光は細い三日月の形を描いた。

『お前は弱き者、抗《あらが》えぬ者、体は小さく無力な者』

「これってもしかして……ちょ、ちょっと待って！　私は！」

『思い知るがいい』

「んっ⁉」

パチンと弾けたような音と一緒に、音と色が戻ってくる。

あー、びっくりした。あの女の人の声は聞いたことないけど、あの状況から見ると……。

「んみぃ？」

ん？　食べものを売っているお店に猫がいるの？　猫みたいな鳴き声が聞こえてきたけど。

「みにゃーっ⁉」

ちょっと待って⁉

さっきからニャーニャー鳴いているの、私じゃない？

「にゃー、にゃむぅ」

うん。私だ。

地面が近いのは座っているからじゃなくて、四つ足だからだ。

さっきまで見下ろしていたはずのお菓子が載っている棚を、今は見上げている。

「みぃ……」

内心はパニックになっているけれど、どこか冷静さが私の中に残っている不思議。

みぃみぃ鳴きながらお父様のいる場所を把握しようとしたところで、いつもの倍以上のいい匂いに包まれた。

「こんな所にいたのか」

「にゃ？」

大きなお父様の両手にすっぽり入るくらいの大きさだった私は、いい匂いだけじゃなくあたたかさも体全体で存分に堪能できる。

しかも猫の嗅覚は人間の数万〜数十万倍くらいだと何かの本で読んだことがある。だからこんなにいい匂いがするのかぁ。くんかくんかぁ。

ひたすら鼻をフスフスさせている私の顎《あご》の下を指先でくすぐるお父様。抵抗せず喉をクルルルと鳴らしていると、店の中にすごい形相のオルフェウス君とティアが入ってきた。

「侯……閣下！　ユーリが消えた！」

「申し訳ございません閣下！　ユーリちゃんを見失いました！」

片膝をついて報告する二人に、私は大丈夫だよと伝えるべく「みゃー」と鳴く。いや「にゃー」のほうが良かったかな？

「消えてはおらん。ここにいるだろう」

「にゃー」

うむ。今度はうまく鳴けたとお父様を見上げれば、褒めるように指先で頭を撫でてくれたよ。

やったね！

31　見えないものを見ようとする子猫

いや、お父様に褒められて喜んでいる場合ではなかった。

まったく動揺していないお父様に安心したけれど、オルフェウス君とティアはしっかり驚いてくれている。

それが普通の反応だよね？　お父様が通常モードから微動だにしないもので、もしかしたら異世界あるあるなのかと思っちゃったよ。

「きゅきゅきゅっ（主よ、獣人族ではない人間が獣に姿を変えることはないぞ）」

あ、そうなのね。モモンガさん。

そして私だということは理解しているのね。

「きゅっ！（当たり前であろう！）」

お父様とモモンガさんには、子猫《わたし》がユリアーナであることを認識してもらえているのは幸いだった。

でも、この姿のままだと困る。私は東の国で、冒険者ユーリとして大活躍（？）しなければならないのだから。

「閣下はそれ……子猫をユーリだと確信しているんです？」

「無論だ。私にとって唯一の存在を見誤ることはない」

お父様……!!

きっぱりと言い放つお父様に、思わずみぃみぃ鳴いてしまう。慰めるように顎の下をうりうりされているので、やはり猫扱いはしっかりとされている模様。

「そもそも、なぜユーリちゃんが子猫の姿になってしまったのでしょう……」

ティアの言葉に、にゃにゃっと鳴き声で訴える。

緑色の光と対峙した時、既視感があった。それは先日、海の魔女と対峙した時と同じ感覚だったと思う。

「にゃぁん」

「……魔女の可能性か。ユリアは魔力を感じ取れなかったのか」

「にゃむ」

「ほう、魔力のない領域か。それは厄介だったな」

「魔女の仕業なのか？　ていうか、閣下は猫の言葉がわかるのか……ですか⁉」

「当たり前だろう」

うん。何が当たり前なのかはわからないけれど、心強いですお父様。

なぜかティアは「さもありなん」と頷いているから、オルフェウス君もそろそろ慣れてほしいです。私はいまだに慣れませんけれども。

そしてセバスさんが不在でも口調を改めるオルフェウス君、えらいね。成長してるね。（原作者の親心的なやつ）

「きゅきゅ……（魔女の力は『世界の理』から外れておるからな……）」

モモンガさんがその場にいたら守ってくれたかもしれないけど、そもそも理を外れた存在は感知しづらいそうな。精霊たちに関しても、海の魔女の時のように捜そうとしないと見つからないらしい。

あの魔女のことも、私に目（？）を向けていると気づく直前まで何も感じなかった。

冒険者モードの時は、ちゃんと魔力の網を展開して索敵をしているはずなのに、だ。

「とりあえず宿に戻る。決めねばならんこともあるからな」

「了解」

「かしこまりました」

「にゃ！」

元気よく返事をしても、子猫の鳴き声にしかならない悲しさよ。

お父様が慰めるように撫でてくれるけれど、あたたかくいい匂いで眠くなる……にゃー……。


……あたたかくて、いい匂い。

でも、さっきとは違って花とハーブのような香りがする。

やさしく体を撫でるのは、きっとお父様の手だろう。

ぬるま湯につかっているような心地よさに、思わず声が出てしまう。

「みぃ……」

「起きたかユリア」

「にゃぅ……」

「うむ。汚れはとれたようだな」

「にゃぁ……んにゃっ⁉」

ぬるま湯につかっているようではなく、本当にお風呂に入っている⁉

ジタバタと手足を動かしても離してもらえない。いやちょっと待って、なぜお父様と一緒にお風呂に入っているのにゃー⁉

「危ないから静かにしろ」

「にゃむぅ」

救いなのはお湯が乳白色だったこと。なので、お父様のアレコレは見えなくなっておりますよ。

そして魔力でなんとか抜け出そうとしたけれど、子猫の姿になっているせいか何も出来なくなっている。空気中を漂う魔力の流れも見えない。

大変だーっ！　うにゃーん！

それよりも、なぜお父様とお風呂に入っているのかってことですよ！　……いや、子猫の姿だからセーフなのか？　しかしお父様的には幼女とお風呂に入っていることになるからアウト？

むしろセウトじゃない？　セウトはセーフなのかアウトなのか問題？？？

お目目ぐるぐる状態になっていたところ、気づけばお父様はガウン姿で私をふわふわのタオルで包んでくれていたよ。

ほっとしたような、残念なような……。

でも、レディーに断りもなくお風呂に入れるなんてダメなんですよ！

「にゃう！」

「そう言うな。この状態のユリアを誰かに預けることは難しい」

私の抗議の鳴き声に、お父様は困ったような表情になる。

そうなの？　と首をかしげると優しく撫でられる。

うん。この姿になってから、当たり前のようにスキンシップが増えたね。前も多いとは思っていたけど、なにせ子猫《こねこ》だからね。撫でざるを得ないよね。

「セバスが戻ったらユリアの今後について話し合う。私はユリアが何であろうと構わないが、その姿では旅もままならんからな」

あ、元の姿に戻すように動いてもらえるのですね。あまりにも泰然《たいぜん》としているので、このままの姿でいいのかと思ってしまった。危ないところでしたお父様。

子猫の姿だと食べものも制限されちゃいそうだもんね。

「私としては、このままでも良いのだが……」

「みゃ！」

ダメです！　このままだとミルクしか飲めないので！

私は東の国の食を堪能したいので、早く元の姿に戻りたいのですお父様！

みゃーみゃー抗議をしていると、お父様が私を抱いたまま立ち上がる。

部屋の壁に扉が現れて、お父様が「入れ」と言うとセバスさんが入ってきた。奥に見える部屋は本邸の執務室だった。

おかえりなさいセバスさんって、言いたいけど鳴き声しか出ない。ぐぬぬ。

「ただいま戻りました。旦那様」

「何かあったか？」

「坊っちゃまに関しては色々あるようですが、ご自身の魔力や精霊を使ってうまくやられているようです」

「そうか」

「にゃー」

アズマ国にいるって聞いていたお兄様が、お元気そうで何よりです。

「おや、今の姿ではどうお呼びすれば？」

「その件について食事をしながら話し合いたい」

「かしこまりました」

子猫《わたし》と会話ができるお父様の謎能力もさることながら、ひと目で状況を把握したセバスさんもすごい。さすセバ。

お父様は私を一度クッションに置いて、すぐに抱き上げる。見ればガウン姿からシャツとトラウザーズを身につけた状態に……え？　なんで？

「個室をお取りしております」

「あの二人も呼ぶように」

「かしこまりました」

ちょっと待ってお父様！　今の早着替えについて詳しく知りたいのですが⁉

お父様ってば‼

32　氷の爆弾の威力を知った子猫

部屋を案内してくれる人から微妙な視線を受けたものの、お父様からの「心づけ」によって子猫の持ち込みが許されたらしい。

いや、モモンガさんもいるじゃない？

「きゅっ（我は姿が見えないようにしておるからな）」

なにそれずるい。お菓子屋さんでも何も言われなかったのは、それか。

「きゅきゅっ（我をそこらの動物と同じと思うでないぞ）」

そんな、ほっぺに木の実を大量に詰め込みながら言われましても。

私だってただの子猫じゃないんだからね！

「きゅー（主は猫と同じものしか食せぬぞ）」

え……？　嘘でしょ？

本当にミルクしか飲めない体になっちゃったの？

「案ずるなユリア。私がなんとかする」

「にゃぁん！」

お父様ぁ！　無表情のままますごい勢いで撫でてくださっておりますが、元の姿に戻れるよう頑張ってくださるのですよね？　信じておりますよ？

部屋には上座にお父様の席があり、オルフェウス君とティアの食事も用意されている。

セバスさんはいつもの立ち位置で私のミルクを用意してくれている。ありがたい。

ちょっとお行儀が悪いけど、テーブルの上で飲ませてもらっているよ。ほどよい温かさのミルクが身に染みますなぁ……やっぱり私の体は子猫なのね……。

食事は前に出てきたチマキのようなものと、焼き魚や煮魚などがメインの海鮮づくしだった。これだけおいしそうな匂いがするのに食べさせてもらえない罠《わな》。

子猫にはまだ早いって言われたよ！　うわーん！

どこか緊張感のある食事が終わり、お茶の時間になったところでオルフェウス君が口を開く。

「あー……閣下、よろしいですか？」

「セバスが結界を張った」

「では侯爵サマ。その、お嬢サマは人としての意識はあるんですか？　意思疎通はできます？」

「ユリアの意識はある」

「えっ⁉　先ほど侯爵様はユリちゃんをお風呂に入れると仰ってませんでした⁉」

「そうだな」

すました顔で食事をしているお父様を、私は恨めしげに見上げてやる。宥めるように顎の下をうりうりされても許しませんよ。気持ちよくて喉が鳴っちゃってておりますが何か。

オルフェウス君は特に気にした様子はない。セバスさんからは呆れている雰囲気を感じるよ。

ティアは頬を赤くしているけど「失礼しました。話を進めてください」と小さな声で言った。この件は流されるらしい。ぐぬぬ。

「さて、情報を整理する。ユリアがこの姿になった時、二人は警戒をしていたか？」

「警戒してました」

「ユリちゃんの周囲に、怪しい気配はなかったと思います」

二人とも私の姿が突然消えたから、すごくびっくりしたんだって。気配もないからどうしようって思ったらしい。

頷くお父様はティアを見る。

「ユリアに関して『神託』を受けたか？」

「いえ……実のところ、ユリちゃんに関して神託を受けづらいので……お役に立てず申し訳ございません」

「構わん。私がユリアを守護しているので、そこは問題ない」

ちょっとまって。それはもしかして、私は神様の加護を受けづらいってことでは？

なんで？　私が異世界の魂を持っているから？

「落ち着けユリア。お前は『世界の理』に触れているだろう？」

はっ！　そうだった！

そもそも神の領域に触れるようなことをしている人間に『神託』を送るなんて、ナンセンスだよね。

今回の件……海の魔女に絡まれたことも、私が『世界の理』に触れたのが原因っぽいし……。

「おい、お嬢サマがテーブルクロスで爪研《と》ぎしてんぞ」

「ユリちゃん……すっかり子猫らしくなって……」

「セバス」

「かしこまりました」

テーブルクロスは買い取りとなりました。ごめんなさい。

「それよりも、決めねばならんことがある」

「今後の方針ですか？」

「そうだ」

お父様をとりまく氷の魔力が室温を下げていく。

寒さを感じた私は早々にお父様の胸元に避難させていただきました。上質な筋肉は暖房機を上回る熱を発しておりますね。

「魔力の流れを感じず、我々の力が届かぬ存在。ユリアをこの姿にしたのは魔女固有の力である

『呪』ではないかと推測する」

「……確かに、海の魔女が船に入り込んだ時も俺たちは気づけなかったっすね」

「ユリちゃんの機転がなければ、中身がメイアンさんじゃないと気づけなかったと思います」

「しかし、なぜ魔女がユリアに『呪』をかけたのか……」

そうなんだよね。あの様子だと人違いだと思うんだよね。お前がやったとか、許さないとか言ってたし。

すると、オルフェウス君の頭の上で木の実を食べていたモモンガさんが、フワッと飛んでテーブルの上に着地する。それと同時にミニ精霊王の姿に変化した。

久しぶりのミニ精霊王だ！　わーい！　じゃれついちゃおー！

『やめるのだ主！　今はそれどころではないのだ！』

お父様の胸元からテーブルに飛び降りた私だけど、あっさり捕まって再び大胸筋に挟まれてしまう。無念なり。

『あー、あー、皆に聞こえるか？　主の件についてなのだが』

「発言を許す」

『まったく、氷のは無礼であるな。それよりも主は海の魔女と約束をしておったであろう？　魔女のことなら魔女に聞くのが一番ではないか？』

なるほど。そういえば海の魔女がくれた、貝のブレスレットに呼びかければいいと言われたんだっけ。

あれは冒険者ユーリの大事なもの入れに放り込んでいたはず。お師匠様の魔法陣付きだから、小さくてもたくさん入るようになっている特製の鞄《かばん》だ。

「それと、もうひとつ。皆の意見を聞きたい」

「侯爵サマ？」

「何かありました？」

お父様の言葉に緊張が走る。皆の意見を聞きたいなんて、我が道を突き進むタイプのお父様には珍しいことだ。

「今の姿のユリアは『ユリアーニャ』で、どうだろうか」

「ブホァッ！　ゲッホゲホゲホッ！」

「……はい？」

「……」

勢いよく咳き込むオルフェウス君と、呆《ほう》けた顔のティア。

そして微笑みを浮かべたまま小刻みに震えるという器用なリアクションをするセバスさん。さすセバ。

お父様の胸元にいた私も思わぬ発言を受けて固まっているよ。

イッタイナニヲイッテイルノデスカ。オトウサマ。

とんでもない空気が流れる中、小さな精霊王がのんびりとした口調で呟く。

『なるほど。普段の主はユリアーナで、子猫の時はユリアーニャというわけか』

いやいや……すんなり納得しないでくださいよモモンガさん……。

33　懲《こ》りない海の魔女に呆れる子猫

未だ『ユリアーニャ』か『ユリニャン』にするのか悩むお父様はさて置き。（どちらにもしないことを明言鳴きしたら残念そうだったけど、断固拒否しました）

モモンガさん曰く、魔女にかけられた呪いのようなものは、魔法や精霊の力でなんとか出来るようなものではないとのこと。

もちろん神官であるティアに呪いを解いてもらおうとしたけれど、魔女のは普通の呪いではなく『呪』と呼ばれるものだから、別の力なんだってさ。

そういえばメイアンさんの時も、ティアが神官だと知っていたのに「呪いを解いて」とは頼んでこなかったよね……。

魔女の『呪』は、魔女にしか解けないものなのだろう。

「人があまりいない浜のほうに向かおうぜ。そこなら魔女を呼んでも目立たないだろうから」

「呼んだ時に、何が起こるかわからないですからね」

「にゃー」

オルフェウス君とティアの言葉に、前足を挙げて元気よく返事をしたらお父様に撫でられたよ。

ティアも撫でたそうにしていたけれど、私に触れたり抱っこしたりするのはお父様だけにしているとのこと。魔女の『呪』が私以外にも影響があったら困るからね。

ちなみに、お父様は真っ先に触っていて何事もなかったからお触りし放題である。（言いかた）

季節的に人がいない海辺の砂浜に来た私たちは、さっそく魔女を呼んでみることにした。

うう、潮風が子猫の柔らかな毛並みにまとわりつくよぉって思ったら、お父様が魔力で毛先だけ凍らせてから、ちょちょいと散らしてくれた。え、すごい。

船に乗っている時は魔力でなんとかしていたけど、お父様のやり方はオシャレでかっこいい感じがする。人間に戻ったら真似してみようっと。

「ここならいいだろう。さっそくブレスレットに呼びかけ……ちょっと待て。呼びかけるっていってもお嬢サマは猫だぞ？」

「ど、どうしましょう」

オルフェウス君の言葉に、ティアも困っているのはわかるけど「ユリちゃんは子猫の姿でも違和感なくかわいいので」と呟いているのは聞こえておりますよ。お父様が激しく頷いているのも遺憾《いかん》の意。

気づくのが遅いぞオルフェウス君。何も考えてなかった私も同罪だけど。

海の魔女からは「呼びかける」に関して具体的には何も聞いていないし、人間の姿だったら「海の魔女さーん、出てきてくださーい」って言おうと思っていた。

ていうか、まさかこんなに早く海の魔女を呼び出すことになるなんて思っていなかったのだ。こんな事になるなら、ちゃんと聞いておけばよかったよ。ぐぬぬ。

するとに静かに控えていたセバスさんから助け舟が出された。


「お嬢様、何事もやってみないことにはわかりません。まずはお試しくださいませ」

「うむ。とりあえず何でもいい。呼びかけてみろ」

「にゃん！」

お父様にも勇気をもらった私は、貝のブレスレットに向けて気合を入れて呼びかけ（鳴い）てみることにした。

「にゃー！（魔女ー！）」

しかし何も起こらなかった！

「にゃにゃー！（起きろ魔女ー！）」

しかし何も起こらなかった！

「にゃにゃにゃー！（いい加減に目を覚ませ魔女ー！）」

しかし何も「うるさーいぃ！　耳もとで何度も叫ばないでよぉ！」

盛大な水柱と共に、ナイスボディー（ただし一部控えめ）な海の魔女が現れた。

出てきてくれてよかったよかった。

「一部控えめってなによぉ……って、貴女様でしたか！　こんなに早くお呼びいただけて嬉しゅうございます！」

私を見て怯《おび》えた表情になり、水面で器用に土下座をする海の魔女。

今の私は子猫の姿だし、そんなに怖がられるようなことをしたっけ？　歌勝負をしただけなのに……。

あと私の心の声が聞こえるみたい。もしや海の魔女って、お父様と同じ能力を持っているのかしら？

「いえ、これは一時的なものです。『魔女の約束』は、あらゆる状況でも私を呼び出し、私に力を使わせることができますから」

なるほどねー。

見上げると、お父様が優しい目をして私を見ている。つまり、お父様と私の繋がりは『魔女の約束』を超えたところにある、と。ちょっと恥ずかしいけど嬉しいです。

何が起きても大丈夫なようにオルフェウス君とティアが警戒し、私はお父様の両手の中に守られながら、さっそく本題に入ることにした。

「魔女のことを知りたい、ですか？　それはよろしいのですが、なぜ人間の姿にならないので……あら、貴女様に『呪』がかかってますね」

「にゃむぅ」

「確かにこの姿では不便でしょう。魔力も使えないとは……ここまで強力な『呪』ですから、それを使える者は魔女の中でもなかなかいないかと……あっ」

あっ？

全員が海の魔女に注目している。

彼女は今、明らかに「思い当たる節がある」という顔をしているからだ。

何やら嫌な予感がしてきましたぞ。

「言え。何を知っている？」

「こ、氷はやめてください！　言います！　言いますから！」

お父様の言葉に氷漬けにされたことを思い出したのか、海の魔女は慌てて話し出す。

「この町の外れに、魔女の森があったことを思い出しました！　かなり力の強い魔女です！　それで……あのぉ……」

「言え」

「お、怒らないでくださいね？　拠点を移動してから人間の生気が流れてこなくなって、イライラして『呪』を振りまいていた頃があったじゃないですかぁ。もしかしたら森の魔女の血縁者にも、うっかり『呪』がいっちゃってたかなぁ……なんて思っちゃったりなんかしちゃったりして？」

はい？

思わず目を丸くする私の横から、オルフェウス君が思わずといった様子で叫ぶ。

「おいおい！　まさかそれ、メイアンって人の家族にかけたのと同じやつか!?」

「もう解けていますから！　死んだ人間はいないはずですから！」

なんですって？

死んだ人間はいないから、それでいいと思っているの？

怒りのあまり毛を逆立てていると、私を抱っこしているお父様から一気に冷たい魔力が膨れ上がるのを感じた。

ふぉぉ。これ、海底で魔女を凍らせたあの流れリターンズではなかろうか。

「ティア様、こちらへ」

「は、はいぃ」

すかさずセバスさんがティアを守ってくれているけど、オルフェウス君は放置なのね。

それよりも、自分以外の人が怒っていると当事者であっても冷静になれるものなんだなぁ。

そしてどれだけ激怒していても私のまわりはちゃんと暖かい。これぞお父様の愛のなせる業……なんだよね。

精霊界で魂の姿が違っていても、子猫の姿になっても、お父様は変わらないのだ。

「にゃぁ」

ありがとうって言いたいのに鳴くことしかできない私を、お父様は優しく撫でてくれる。

「大丈夫だ。このままの姿でも構わないが、お前が望むようにしてやる」

「みにゃぁ」

お父様の手の中で全身を使ってスリスリとしていると、遠くからオルフェウス君の声が聞こえてくる。

「おーい。そろそろこの吹雪は止めたほうがいいんじゃないですかー」

「……仕方がない」

気づけば半分凍りながら泣いている魔女と、どこから取り出したのか大きな布をかぶっているオルフェウス君と、ちゃっかりその中に避難していたモモンガさん。

セバスさんは契約している精霊で防御したみたいだけど、抱き込まれて顔を真っ赤にしているティアが少しだけ気になるところだ。今は放置でいいかな？　本人が頷いているから、放置ってことで。

魔女には魔力がきかないという通説は、お父様には関係ないのだろうか。

もしかしたら魔力の量や質で変わるのかもしれない。

モモンガさんに木の実を捧げて、周囲の環境を元に戻してもらってから、土下座がデフォルトになった魔女とのやり取りを再開することにした。やれやれ。

お父様には私の毛並《けな》みを整えるのに専念してもらうとして、海の魔女との会話はオルフェウス君にお任せすることになった。さすが我らの頼れるリーダーである。

「話をまとめるぞ。つまり、海の魔女が無差別に放った『呪』を、森の魔女の血縁者が受けてしまったかもしれない。それにより、怒った森の魔女は『呪』を放った魔女を捜していて、海の魔女と関わっていたうちのメンバーが『呪』をかけられたってことか」

「うう……申し訳ございません……」

「関わっていたのは私たちも同じですが、ユーリちゃんは『魔女の約束』もしていたから森の魔女に気づかれたということですか？」

「はい……その通りでございます……」

なんて迷惑な約束なんだ。確かに魔女の力を借りられるのはいいけれど、魔女同士の諍いに巻き込まれることになるならデメリットのほうが大きいのでは？

34　魔女の森で衝撃を受ける子猫

メイアンさんが通行手形を持ってきてくれるのが数日後。

それまでに元の姿に戻らないと、人間として東の国に入れなくなってしまう。

旅館の部屋はキープしておくとして、私たちは港町の外れにある森へ行くことにした。

「メイアンって人がきたら、俺らの部屋を使っていいから待っててもらうよう言伝《ことづて》を頼む」

「かしこまりました」

オルフェウス君が言伝依頼の代金を渡そうとして「充分いただいております」って断られていた。

お父様がモモンガさんと私を部屋に入れるために、かなり多めに支払いしていたらしい。外貨を獲得できたから嬉しいと言われたよ。

そう。東の国は独自の文化があるため、大陸共通の通貨ではないのだ。

港町ならどちらの通貨でも支払いできるけれど、東の国に入ってからは両替できないので、大陸の物で支払いをすることもあるとのこと。

それにしても、のんびり観光できると思ったのに、子猫の姿になるなんて……。

東の国には、人の姿で入らないと意味がないのだ。

だって冒険者ユーリとして、ビアン国の王様から紹介状を書いてもらったのだから……って、あれ？

「にゃー」

「どうした？」

「にゃんにゃにゃ」

「紹介状……ああ、ビアン国王のものか。あれはセバスに持たせている」

「にゃ？」

「どうしても入国できない時に使うといい」

「にゃむぅ」

せっかくもらったものだから使ったほうがいいと思ったけど、お父様の見解は違うみたい。セバスさんも頷いているし、オルフェウス君とティアは雇い主であるお父様に従うようだ。にゃむぅ。

「きゅっ（人間とは、しがらみが多く面倒なものだな）」

なるほど。ビアン国の王様は善意でくれたのかもしれないけど、それを出したら私たちがビアン国の王族との繋がりについて、妙な勘ぐりを入れられるかもしれない。

はぁ、モモンガさんの言う通り、人間って面倒なところがあるよね……って、いかんいかん。子猫の姿だからか、思考が動物っぽくなってきている。

むむっ、恐るべし！　魔女の『呪』！

「お嬢サマの思考は人間か動物かってより、普通とはズレているだけって感じがするけどな」

「オルリーダー、そんなこと言ったらダメですよ。ユリちゃんはいつも一生懸命だし、真剣なのですから」

うう、仲間二人からの言葉が心をえぐってくるよう。

悲しい気持ちの時は、お父様の大胸筋にスリスリくんかくんかで癒されるしか何ひとつ手立てはない。

すり寄る私を厚い胸板で受け入れ、たくさん撫でてくれるお父様の優しさよ。

「気にするなユリア。そこがお前の魅力なのだから」

慰めてくれるけれど、オルフェウス君の言葉を一切否定しないのですね。お父様。

そんなやり取りをしながら一刻半ほど（私とモモンガさん以外）歩いていると、だんだん緑が濃くなってくる。

港町にある木々とは違う種類の植物が目立ってきたよ。土が目立つ見通せる平野だった風景も、徐々に林になり森へと変わっていく。

「きゅっ（主、精霊たちが少ない。そろそろ魔女の領域に入りそうだぞ）」

「うみゃん！」

モモンガさんの言葉に気合を入れる私。

今、私が首に着けているのは貝のブレスレットで、そこには海の魔女の『魂の欠片《かけら》』が宿っているのだ。

本当は直接会話をするほうがいいのだけど、魔女たちはお互いの領域を侵さないのが鉄則なんだってさ。

この『魂の欠片』で、森の魔女と話し合いをするから持っていってほしいと、海の魔女が顔を砂まみれにして土下座でお願いしてきたのだ。

二度と凍りたくないし、歌声合戦はもっとしたくないって言ってたけど……セイレーンとしてそれはどうかと思うよ。

「くそっ、魔女の気配が読めねぇ」

「私の『祈り』も役立たずですね……」

何かあればお父様が「魔女泣かせ」の魔力を放つ予定だけど、できれば穏便に事を進めたい。最後の手段として取っておくことになっている。

セバスさんは静かに控えているけれど、何かあれば動いてくれそうな絶対的な信頼感がすごい。さすセバ。

しばらく歩いていると、どこからともなく鈴のような音が鳴っている。

チリリン、という音とともに現れたのは一匹の狐だった。

構えるオルフェウス君とティアを、私は「にゃん！」と鳴いて止める。

「二人とも、下がっていろ」

「しかし閣下……」

「おそらく魔女の手の者だろう」

私の心の声を代弁してくれたお父様は、この狐が魔女と関係していると考えているみたい。

そして私は、目の前にいる狐にテンションが上がっている。

なんだか……すごく……ファンタジーっぽい！

だって、目のあたりとかに蔦《つた》の模様みたいなのが入っているんだもの！　額にキラキラした緑の石がついているし！

『……』

狐は鈴のような音を鳴らし、森の奥に一歩進んでから振り返る。

「案内のようだな。行くぞ」

「はい」

お父様の言葉もあり、狐についていくことになった。まぁ、こんな状況だからそうするしかないよね。

ここに来るまでは獣道みたいなものがあったけど、狐はそこから外れて森の奥へと進んでいく。

途中あちこち曲がったり、時には引き返したりするような感覚になるのが怖い。魔女のいる森だからか、迷わせるような感じに造られていたりして……。

「西に向かっているな」

「やや北寄りでしょうか……私たちに対してであれば『祈り』は届きます」

「助かる」

オルフェウス君とティアが話している内容で、私には方向感覚がないことを知る。

お父様とセバスさんは言わずもがなでしょうし。モモンガさんは野性の勘でなんとかなりそうだし。

「きゅっ（我を動物と一緒にするなっ）」

そんなことを木の実を齧《かじ》りながら言われましても。

「閣下、目印はどうする……しますか？」

「魔女の領域ではやめておけ」

「了解っす」

そうですね。きっと私以外の人は迷わないでしょうし。

しばらく歩いていると、鈴の音とともに狐が消えてしまった。

うう、あの尻尾のモフモフを触ってみたかったのに……。

「あとで遊んでやるから、がまんしなさい」

うう、子猫の姿だからか動くものに体がうずうずしちゃう……。

『どうぞ、お入りなさい』

港町で聞いたものと同じ声が、私たちに降りかかってくる。

目の前には樹齢千年単位と思われる大樹があり、根本にドアが付いていた。なんというファンタジー！（何度も言う）

私たちがドアの前に立つと自動で開いたので、オルフェウス君とモモンガさん、お父様と私、テイアとセバスさんの順で入る。

薄暗い中、螺旋《らせん》状になった階段を上っていくと、ふたたびドアが現れて自動で開いた。

「ようこそ。森の魔女の領域に」

中に入れば、スッとするようなハーブの香りと、暖かな空気に体の緊張がほぐれる気がした。

オルフェウス君たちは未だ警戒中だけど、私の（子猫の？）本能は「安心できる場所」だと認識しているようだ。

カウチソファーにゆったりと座る森の魔女は、綺麗な緑色の髪とエメラルドの瞳を煌めかせていて、まるで妖精の女王様というような美貌の持ち主だ。

海の魔女も美人さんだったけど、言動や行動がアレなので微妙なイメージだ。そして海とは違い森は一部がとても盛り上がっていらっしゃる。何がとは言わないけど。

「そこの子猫ちゃんの感じているとおり、私は貴方達と戦う気はないわよ」

「……そうか」

お父様のひと声に、オルフェウス君たちは武器から手を離した。

セバスさんも一歩下がったところをみると、ひそかに戦闘態勢だったのかもしれない。

「ごめんなさいね。あの時、町に薬を卸《おろ》していたらアレの気配がしたもので、つい」

いつの間に用意されていたのか、大きなテーブルには人数分のお茶が用意されている。床から切り株が生えてきたのは椅子の代わりだろうか。

セバスさんがどこから取り出したのか、クッションを切り株に置いている。

「申し訳ございません。仕事柄、私は遠慮させていただきます」

「あら、そう？」

セバスさんの言葉に森の魔女は気を悪くすることなく、ティーカップと切り株を手をひと振りさせて消してみせた。まるで魔法みたいだ。

「そうね。ただ魔女の魔法は魔力を使うわけではないのだけど……」

森の魔女は笑顔で私を見ると、少し驚いたような表情になった。

なんだろうと首を傾げている私に、森の魔女は「近くへ」と言った。すると私の体がフワッと浮き上がったものだから、思わずお父様の手に爪をたててしまう。

「みにゃぁん！」

「心配するな、痛くはない。……魔女よ、私が近づこう」

幸いにも子猫の爪は柔らかかったようで、お父様を傷つけずにすんだ。もう！　いきなり何をするのさ！

「あらあら、そんなに毛を逆立てて……怒らせるつもりはなかったのよ。あまりにも『呪』が貴女に馴染んでいたから、何かあったのかと思って」

なんですと？

私に『呪』が馴染んでいると、どうなるの？

「貴女が私の『呪』を受け入れた……この場合だと、子猫の姿を受け入れたからということになるわね。そうなると、私だけの『呪』ではないから、このままだと元の姿に戻れなくなるわよ」

な、なんだってーっ!?（ドンガラガッシャーン!!）

35　人間に戻りたくなった子猫

ショックを受けていて目の前が真っ白になったと思ったら、どうやら雷が落ちたらしい。

森の魔女さんが「あら、燃えているわね」と言って、手から緑色の光をだして雨を降らせている。

「私の森が燃えるような雷を落とさないでちょうだい。子猫の保護者さん」

え？　お父様が雷を落としたの？

そういえば以前、本邸のお屋敷に雷魔法を落としたことがあったっけ。あれは私がお父様のことを「旦那様♡」なんて呼んだことによるショックだったけれども。

「なぁ、森の魔女。どうして『呪』ってやつが馴染むんだ？」

「元の姿に戻りたいと、強く願うことがなかったんじゃないかしら。魔女の『呪』は、対象者の意思が影響するのよ」

オルフェウス君の問いに対し、丁寧に答えてくれる森の魔女。

書物によると、森の魔女のほとんどは温和な性格だという。海の魔女が血縁者に『呪』をかけなければ、彼女も一般的に知られている「善き隣人」なのだろう。

だからこそ、頼めば元の姿に戻してくれると思っていたのに……。

「ええ、海の魔女が『魂の欠片』を差し出すくらい反省しているのもわかったし、それを彼女が預けるくらい信頼している人間たちだということも理解しているわ」

そう言って彼女はティーカップに口をつける。

お父様たちにはハーブティーが入っていたけど、私には小皿にミルクを出されたので、ありがたくいただいております。

お皿のミルクを舐《な》めている私を、森の魔女は微妙な表情で見ている。

「私だって元に戻してあげたいと思ってはいるのよ？　でも、まさかここまで『呪』を馴染ませるほど、順応力のある子だとは思わなくて……」

なんということでしょう。

猫になって働かずにゴロゴロ喉を鳴らすだけで、なんでもしてもらえる快適生活だと楽しんでいたことがよろしくなかったとは……。

たくさん撫でてもらえるのも嬉しかったし、なんやかんやあっても結局は元に戻れるだろうと楽観視していた私の大馬鹿野郎……。

「みぃ……」

しょんぼりと項垂《うなだ》れる私を撫でるお父様は、「どのような姿でも構わない。ずっと一緒だ」なんて囁《ささや》きながら口説くのやめてもろて……。

お父様の手から離れ、テーブルにあるミルク皿へよちよち歩く私は「これからずっとミルク生活になるのか……」などと悲観していると、しばらく黙っていたオルフェウス君が口を開いた。

「ってことは、アレも無理ってことだよな？」

「アレ、とは何のことですか？」

「アレだよ。アレ」

首を傾げるティアに、オルフェウス君が指をニョロニョロと動かす。

「港で見かけて、お嬢サマが欲しがっていた海の生き物だよ。アレを加工したいとか言ってなかったか？」

オルフェウス君が言っていたのは、港町で捨てられるところだったイカやタコのような生き物のことだ。

鉄板焼きにしたり、オイル煮にしたり、凹凸《おうとつ》のある鉄板でたこ焼きにも出来そうだと思っていたのだ。

きっとビアン国の巫女様も大喜びするであろうこと請け合いのニョロニョロ生物である。

お父様が漁師さんたちの組合と掛け合って、網にあがったらフェルザー家が買い取るということになった「アレ」である。

「……無理とは、どういうことだ？」

「俺、王国の港町で聞いたんですよ。捨ててあったアレを猫が食べて倒れたって話を」

「なんだと？　毒は無いと鑑定されていただろう？」

オルフェウス君が得てきた情報を聞いて、お父様の眉間にシワが寄っていく。

そういえば、前の世界で「猫にイカを食べさせたら腰を抜かす」とか聞いたことがあるような。

はっ！　犬にネギとかダメみたいな、そういうやつでは！

「旦那様、人間の食べ物は動物にとって毒になることもございます。逆もしかりでございますが……」

うんうん。コアラが食べているユーカリの葉とかね。毒性があるからね。

「つまり、元の姿に戻れなくなったお嬢サマは、猫と同じものしか食べられないのか」

「近所の奥さんが、チョコレートもダメだと教えてくれたことがあります」

「きゅきゅっ（主よ、辛いだろうが猫でいるかぎり必要なことであるぞ）」

えっ⁉　チョコレートも⁉

この世界でのチョコレートは高価で、お貴族様なフェルザー家でもたまにしか出てこない。

いつも焼き菓子を購入するお店でも、チョコレートが入っている商品は数量限定で売り出されていたりする、高級で特別なものなのに……。

オルフェウス君とティアが同情するような視線を私に向けているし、モモンガさんが木の実を食べながら訳知り顔で頷いている。ぐぬぬ。

テーブルを前足でタムタム叩き、お父様に向けて私は必死にアピールすることにした。

「にゃっ！　にゃむぅーん！」

「どうした？」

「にゃいにゃー！　にゃんにゃ！」

「元の姿に戻りたい、と？」

「にゃー！」

お父様の服に爪をたてて、よじのぼって頰を懸命に舐めてアピールする私。

ずっと猫のご飯は嫌だー！　人間のご飯を食べたいよー！

「泣くなユリア。極上のミルクをセバスに用意させる」

もうミルクは飽きたー！　いーやーだー!!

すると、森の魔女が立ち上がって両手を差し出した。素早くお父様に抱き上げられた私は、彼女の手の中にスッポリと収まる。

『弱き者、無力な者から、あるべき姿に』

キラキラと緑色の光が降りかかってきたと思ったと同時に、ふわりと逞《たくま》しい腕で抱き上げられた。

しっかとシャツを摑む手は見慣れたもので、胸元に顔を寄せればいい匂いがする。猫の時のように強くはない、優しくて大好きな匂いだ。

「……ベルとうさま」

「ああ、ユリア。よく頑張った」

「ふ、ふぇ……ふにゃ……」

「怖かっただろう」

「ふにゃあああああああん!!」

いつになく甘く優しいお父様の声に、私《ようじょ》の心は決壊したための大号泣タイムだ。

こうなるとしばらくは止まらないのだ。ふにゃああああああああん!!

「お嬢サマって、猫みたいに泣くよな」

「ダメですよ。そんなこと言ったら怒られますよ」

「だってなぁ……痛ぇっ！」

今はユーリ（冒険者）ではなくユリアーナ（侯爵令嬢）なので、容赦はしませんよ。

主にお父様とセバスさんがね！

36　港町グルメを味わう少女

「なるほど。大変なことが起きていたのでござるなぁ」

「はい。でも、おかげさまで元の姿に戻れました」

無事に通行手形を発行してもらえたというメイアンさんが、私たちの宿まで届けに来てくれたのは、大号泣から二日後のことだ。

あれから色々と反省した海の魔女は、森の魔女に『魂の欠片』を渡して誠意を見せることに成功した後、魔女同士で会話をして折り合いをつけるらしい。

世間一般で言われている森の「温和な魔女」も、血縁者が絡むと厄介だと学習したよ。

旅館の従業員さんも心得たもので、応接室代わりに私たちが使っている部屋は、滞在中なら自由に使っていいと言われている。ありがたい。

セバスさんが宿泊料金に色を付けていたから、帰りもぜひ寄ってくださいと言われた。ご飯もおいしいし、浴場も広い。機会があればまた来てもいいかなと思っているよ。

さて、ご足労いただいたメイアンさんにお土産用のお菓子を渡すと、私を見てしみじみと言った。

「ユーリ殿も大変だったでござろう。自分の体が別のものになる辛さは、拙者は痛いほどわかるのでござる」

「あはは……子猫になった時は、本当に驚きましたよ」

思わず乾いた笑いが出てしまうのは、森の魔女の血縁者というのはメイアンさんだったからだ。

大変な目にあった血縁者であるメイアンさんのことを、何らかの方法で知った森の魔女は、その怒りのまま私に『呪』をかけたのだ。

とんだとばっちりではあったけれど、海の魔女の件は私から進んで巻き込まれたのだから自業自得だと思っている。

ちなみに森の魔女曰く、メイアンさんは魔女の血縁者ということを知らないらしい。

何代にも亘って見守っているから、自然と伝承が途切れたのだろうとのこと。

知られなくてもいいの？　と聞いたら。

「森の魔女は、森と共に生きて、森と共に死ぬだけの存在だから。自然とそうなったのなら、それでいいのよ」

と、美しき森の魔女は、慈愛に満ちた笑顔でそう言った。

なんかちょっと寂しく感じるのは、私の心が甘えた幼女だからだろうか。

「それにしても、ユーリ殿は森の魔女に会えたのでござるか。ほとんど森から出ない美しき魔女と聞いておるので、羨ましいでござるよ」

「そんなこと言ったら、奥様に怒られるんじゃないですか？」

「いやいや、拙者は森の魔女殿とは遠い親戚のようなものでござってな。母に聞いてから何度か挨拶に来ておるのだが、なかなか会えないのでござるよ」

「……え？」

メイアンさんの言葉に私は驚く。

森の魔女は自然淘汰《とうた》上等みたいなことを言っていたけど、実は先祖代々においてガッツリ伝わっていたってことだよね？

あらあらまあ、さすがにこの情報は森の奥にいる誰かさんにお伝えしておかないとねぇ。

ニヨニヨ笑っていると私を不思議そうに眺めるメイアンさんは、己のムキムキの大胸筋の隙間に手を入れて木札を取り出した。

「ユーリ殿が必要とする通行手形は、男性三名、女性二名、小動物一匹でよろしいでござるか？」

「はい。ありがとうございます。助かります」

木札には漢字で「男」と「女」と書かれている。男は黒文字、女は赤文字だ。

これはもう決定的だと思う。東の国は日本人が関わっている。

いや、ここが私の小説の世界だったとしても、ここまでの描写があったのかといえば私の答えは「わからない」が正解だ。

なにせあの担当編集者が関わっているのだから、とうとつなエピソードの追加や路線変更は常に行われていた。

「へぇー、変わった文字を使うんだな」

「確か東の国は、独自の言葉と文字を使うのですよね」

私の後ろで控えていたオルフェウス君とティアが、珍しそうに木札を見ている。セバスさんは私に新しいお茶を淹れてくれて嬉しい。

現在、本邸で執務をしているお父様が、心配のあまりセバスさんを私に付けてくれたのだけど……今のところ問題は起きておりませんです。はい。

「東の国でも、拙者のように外交に携わる者は共通語で話すが、多くの民は独自の言語を使うでござるよ。通訳は大丈夫でござるか？」

「大丈夫です」

私は、という言葉が付くけどね。

オルフェウス君は高ランク冒険者として必須とのことで、いくつかの言語を話せるそうな。ティアは巡礼神官として勉強をしているとのこと。

お父様は言わずもがなで、セバスさんは……さすセバだよ。当たり前でしょ。

東の国は現在、王国でも一般的な共通語で文字を書いている。木札に書いてある漢字は、いわゆる古代文字のような扱いだ。

うーん。やはり日本人がいた形跡があるよね。

私みたいな存在もいるのだから、きっと異世界あるあるとして転生者か転移者がいたのだと思う。

そういえば、以前お兄様が学園で「とにかく明るい元平民の男爵令嬢」に絡まれたとか言ってたし、ビアン国の予言の巫女様も「攻略本」を持っていた転移者だった。

うん。東の国に入る前からワクワクすっぞ……って、ごめんなさい嘘です。平穏無事に過ごしたいです。

「妻も挨拶したいと申していたのでござるが……」

「奥様、お大事にしてください」

「かたじけない」

海の魔女の『呪』から解放されても、それまでずっと寝込んでいたというし、きっと体力がなくなっているのだと思う。しっかりと休んでほしい。


メイアンさんをランチに誘ったところ、申し出を受けてくれた。もともと港町で昼を食べて、夕方に自宅へ戻る予定だったとのこと。

そして丸一日は執務をする予定だったお父様が合流した。セバスさんが「マリク殿のお土産を追加します」と言っていたよ。

旅館のご飯もおいしいけれど、港町グルメを余す所なく堪能したいので外の店に行くことになった。

もう猫じゃないから、なんでも食べられるぞ！

「お嬢……ユーリの好きそうな所を選んでおいたぞ」

「ありがとう。オルリーダー」

そこは海側の席もあるし、内側の席は綺麗な庭を眺めることができるとのこと。どちらも護衛しやすいとオルフェウス君とセバスさんが喜んでいるよ。

「そっか。冒険者として、そういうことも考えないといけなかった」

「ユーリちゃんはまだ新人のようなものですから、これから学びましょう」

私もまだまだですよと言うティアは、呼吸をするように『祈り』で悪意を排除する結界を展開している。ぐぬぬ未熟。

「リーダーがオルフェウス殿であれば、ユーリ殿はきっとよき冒険者として名を馳《は》せるでござるよ」

「いやぁ、俺はまだまだですよ」

照れるオルフェウス君という珍しいものを見た。いつも自信満々な彼が控えめな返しをする理由は、微笑んで見守っているセバスさんの存在が大きいのだろう。

私も頑張るから、オルフェウス君も頑張ってね！

「ユーリはそのままでいい。無理をするな」

「ベルと……閣下。ありがとうございます」

本来は（設定として）護衛の私たちは立っている必要があるのだけど、メイアンさんがぜひにというので同じ席につかせてもらっている。

セバスさんだけは給仕としてお父様の後ろに立って控えているんだけどね。……ところでセバスさん、いつ休んでいるのかな？（今さらな疑問）

お店は一般的な観光客向けというよりも、国の要人にも案内できそうな感じだ。華美ではないけれど、上等な素材を使っているのだろうなと思わせる内装は、落ち着いた色合いでなかなか心地よい空間をつくっていると思う。

「ふむ……本邸にも取り入れるか」

お父様が呟いているけれど、本邸ではなく別邸を造ったほうがいいと思いますよ。

きっとこの建物だけではなく、きっと庭も含めての雰囲気だろうからね。

セバスさんを見たら頷いてくれたので、たぶん建つのだろうなぁ。

完成したら私も使ってみたい。東の国のお茶とか用意して、まったりティータイムをしたい。

食事はコースで、なんとメインは海鮮を油で揚げた料理だった。

このあたりの海でとれる魚には脂肪が多く、それを食用油として使っているんだって。

わりと軽くてあっさりとしていると言われて食べてみたら、ふんわりと香ばしい胡麻《ごま》のような香りがした。海から胡麻油（のようなもの）がとれるファンタジー。

「サクサクしていてうまいな」

「油で揚げていると聞きましたが、わりとあっさりしていますね」

オルフェウス君とティアが食リポしているけれど、私の感想は期待しないでいただきたい。

前の世界でも「グルメもの」の小説を書くことだけは避けていたのだ。

これは今世でも同じで、高価じゃないものでも私はおいしく感じるから、料理人さんたちに申し訳ない気持ちになることがある。

食は細いけれど、これは揚げ物なのにサクサクあっさりしていて、クセになる食感ですなぁ。サクサク。

「セバス」

「はい。フェルザー家限定公開としてレシピを買い取っておきます」

やったね！　これでお屋敷でもサクサク味わえるね！

オルフェウス君とティアも嬉しそうにしているから、二人にもサクサク味わってもらわないと。

お屋敷の人たちにも振る舞われるだろうから、これもお土産になりそう。

よかったよかった。

37　文化の違いに呆然とする少女

デザートが出される頃になり、すっかり忘れていたと書状を取り出したメイアンさん。

もしやこれが本題だったのでは……と思うけれど、申し訳なさそうに小さくなっているメイアンさんには何も言わないでおこう。

悪気のないムキムキマッチョに罪はないのだ。

手渡された書状を見てみれば、複雑な模様の落款《らっかん》が押されている。

「この書状は……」

「拙者の主君である宮様からの招待状でござる。公式のものでないから、気軽に受け取ってほしいとのことでござったよ」

うん。これは気軽に受け取れない案件ですね。

いくらメイアンさんが裏表のないマッチョ侍であっても、「宮様」という呼びかたから危険な香りがプンプンするのですよ。

「今のユーリを雇っているのはフェルザー家だ」

「も、もちろんわかっているでござるよ。宮様は気持ちのいい御方で、あくまでも身内を助けてくれた礼をしたいとの仰せでござってな」

うん。メイアンさんに悪気がないのはわかっているよ。

だけど、会ったことのない権力者は確実に裏表のある人だと思うよ。それに、メイアンさんにとっては気持ちのいい人でも、私たちには違うかもしれないし。

お父様からも冷たい空気が流れてくるものだから、メイアンさんの顔色がどんどん悪くなる。

どうしたものかとセバスさんを見れば、私を見てひとつ頷いてくれたよ。さすセバ。

「旦那様、メイアン様の上役は宮家の流れがあるようです」

「……そうか」

おや？　お父様の魔力が静かになったぞ？

「たしか宮家っつったら、東の国の中でも上位の名を持つ家のことだっけ？」

「遡《さかのぼ》れば神様になるそうですよ」

神の子が治める国だなんて、どこかで聞いたことがあるような内容だな。

オルフェウス君とティアの会話を聞きながらデザートの柑橘《かんきつ》系のシャーベットを食べていると、お父様が私を見た。

「お前が決めていい」

「……え？　私ですか？」

「魔女の件で動いたのはユーリだ」

そう言われましても……と、メイアンさんを見れば不安そうな表情をしている。

うん。決めた。

「会います」

「ああ、よかったでござる！　ユーリ殿たちのことを話したら、宮様がぜひ話をしたいと仰っていたのでござるよ！」

その言葉にお父様の眉がピクリと動いたけど、もう会うと言ってしまったので今さら変更はできませんよ。

「その……宮様というのはどういう御方なんですか？」

「神代の昔から存在しておられるので、つかみどころのない御方でござるな。いつも無表情でおられるが優しい御方でござるよ」

へぇ、神代の頃からかぁー。エルフみたいな存在なのかしら？

遡れば神になるって話も、伝説とかじゃなくて本当の話なのかもしれない。

なんだかワクワクしてきた。

招待されたことに対し前向きになってきたところ、お父様がメイアンさんに問いかける。

「……外見は？」

「宮様のでござるか？　拙者よりも細く、美しく、たおやかな御方でござるよ」

「……そうか」

そりゃメイアンさんからすれば、誰もが細くたおやかになっちゃうのではなかろうか。

あとお父様は、なぜ外見を気にしているのだろうか……。やはり筋肉？　メイアンさんがムキムキマッチョだから、その上役の筋肉も気になっちゃうやつですかね？

「……そうではない」

あ、久しぶりに心を読まれた気がしますね。


しばらくお世話になっていた旅館の女将《おかみ》さんに挨拶をして、いよいよ東の国に入ることになった私たち。

お父様は二国間の貿易がうまくいくように動くし、私はただひたすら観光をする予定だ。冒険者として活動するというよりも、東の国の文化を知りたいという気持ちが強い。ついてきてくれるオルフェウス君とティアには感謝感謝である。

入国にはメイアンさんが同行してくれるって。色々な手続きが楽になるそうで、セバスさんがありがたいと言っていたよ。

ところで、旅館の前に現れた乗り物はいったい……。

「移動は……これ、ですか？」

「これは「輿《こし》」というもので、貴人の方々に用意されるものでござるよ」

私たちの目の前にあるのは、どこかの時代劇で見たことのある乗り物だった。それぞれの乗り物に男性が四名ついて、交代しながら運んでくれるらしい。

彼の国とは違い、簾で隠してくれるから恥ずかしくはない。しかしなぜか乗るのに躊躇《ちゅうちょ》する気持ちになる不思議。

担ぎ手の男性たちはやや細身でありながら、体にはしっかりと筋肉がついている。

違いますよ。私に透視能力が芽生えたわけではなくて、彼らの服装がフンドシ一丁だから嫌でも目に入るだけなのですよ。

驚いたことに体にたくさん文字や絵が入っていて、すわタトゥーかと思ったら違った。透明の膜に描かれたものを貼っているだけとのこと。びっくりした。

透明な素材は海から採れる海藻《かいそう》の一種なんですって。

それにしても……こういうのは砂漠の国で終了だと思っていたのに……なぜ、またしても……。

呆然としていると、私の後ろにいたはずのオルフェウス君とティアが、いつの間にやらセバスさんの近くにいるではないか。

「俺は歩いて護衛をするからな」

「私も巡礼神官として鍛えなければならないので……ユーリちゃんは閣下とごゆっくり」

えーっ！　ずるいよ二人とも！

そして、ちゃっかりモモンガさんはオルフェウス君の頭に乗っているし！

「拙者は馬に乗るので、御二方は輿に乗って来られるといいでござる」

「……うむ」

「……ありがと、ございましゅ」

あまりの展開に、少女モードで噛んだよ。

輿は基本おひとり様で利用するらしいけど、ならばとモモンガさんを捕まえて一緒に乗ることにした。

私と契約をしたいと言いながら、離れて行動するなんてよろしくないと思うよ。

「きゅ……（このなんともいえない揺れが……うぷっ）」

「風を使って、ちょっと浮いていればいいじゃない」

「きゅきゅ（主を差し置いて、そんなことはできないのだ）」

変なところで義理がたいモモンガさん。それなら最初から一緒に行動すべきだったのでは？

メイアンさん曰く、この乗り物で通ると貴人として認識されるため、入国審査はパス出来るらしい。そして輿に乗る人の付き人は、通行手形を持っていれば一緒に入れるとのこと。

それを早く言ってほしかったよ。メイアンさん。

「ビアン国の貴人には好評だったのでござるが、王国の貴人には別の乗り物を用意したほうがよいでござるか？」

「ええ、そうですね。ビアン国の人であれば喜ぶでしょうが、私たち王国民には刺激が強すぎるかもしれません」

馬に乗ったメイアンさんから簾越しに話しかけられた私は、なんともいえない気持ちで返しておく。

この輿、上がサンルーフみたいになっているから、馬に乗っている人の声も聞こえるのだ。無駄（？）に高性能な作りだよね。

それにしても人力でのんびり進んでいるから、目的地まで時間がかかりそう……。

「では、そろそろ走るでござるよ。護衛の方々は踏《ふ》ん張るでござる」

え？　って思った時には、簾ごしに見える景色が一気に流れていく。

遥か後ろのほうでオルフェウス君の慌てたような声が聞こえるけど、いったい何が起きたの？

パカラッ、パカラッと並走しているメイアンさんの馬も、けっこう必死な感じがする。

「きゅっ（担いでいる男たちの足が、氷の上を滑っているようにみえるぞ）」

「氷？」

モモンガさんの説明によると、担ぎ手の人たちの足に透明な膜が付いていて、それが地面から少しだけ浮いているように見えるらしい。

もしかしたら地面も何かあるのかとモモンガさんに調べてもらったら、色の違う道の土じゃない部分から、風の流れを感じるとのこと。

あー、なんだっけ。こういうのあったよね。空気の力でホッケーするみたいなやつ。

前の世界で一時期流行って、ゲームセンターで遊んだことがあるよ。

懐かしいものを思い出したけど、まさかこんな事に使われているとは……。

ところで、担ぎ手の人たちのバランス感覚どうなっているの？　やっぱり異世界ファンタジーだからなの？

38　怪奇現象に怯える少女

輿を降りてまず感じたのは「水墨画《すいぼくが》の世界」だ。

真っ白な靄がかかっている中で墨《すみ》を落としたような木々と、前の世界で見た神社のような建物がぽつりぽつりとある。

「ええと、通行手形はどこで出すんですか？」

「ひとり一つ持っていれば大丈夫でござるよ」

「持っていればいいんですか？」

「輿のある団体は、そのまま入国が可能でござるからな」

うーん。よくわからない。

通行手形を持っていても手続きが必要な人は、別の場所に案内されるって感じかな？

この国はいちいち言葉を濁《にご》すというか、明確な説明をしてもらえない。これはもしや前の世界でもよくあった……。

「さてはメイアンさん、いまいち流れを理解していない？」

「お役所の手続きは複雑怪奇でござるよ」

堂々と「わからない」と言うメイアンさんに、呆れながらも笑ってしまう。

そうだよね。私も前の世界では役所の手続きとか、よくわからないままやっていたことがあるし。

お父様は文官だし、こういうの強そう。この世界で何かあったらお父様に頼れば間違いない。有能すぎるお父様から巣立てない件。

「ここは町なのか？　人の気配がないが」

「町は後で案内するでござるよ。ここは宮様の居住地でござる」

お父様の質問に対し、当たり前のことのように答えるメイアンさん。

あれ？　会うのって今日の話だったっけ？（記憶が曖昧《あいまい》）

「まずは宿をとってからではないのか？」

「宮様のところに泊まればよいでござるよ。挨拶をするということは、食事もあるでござるよ。それに、非公式ではあるがフェルザー家は宮様のご親戚でござるし」

いやいやメイアンさん、親戚の家でも気軽にはお泊まりできないと思うよ？

すると後ろで黙っていたオルフェウス君が「ちょっといいか？」と口を開く。彼はけっこうな距離を走っていたと思うのだけど、ぜんぜん息が切れていないのすごいね。さすがオルフェウス君。さすオル。

「ここだけじゃないと思うけど、特殊な結界が張られているよな。護衛の仕事上、どんなもんなのかを確認したい」

「それはでござるな……」

メイアンさんが言葉を濁したところに、リーンと涼やかな音が鳴る。

小さな音なのに不思議とよく聞こえる感じ。なんの音だろう。

「……ふむ。説明するでござるよ。この場は宮様が『符』に込められた力で悪意のあるものは排除されるようになっているでござる」

「普通の人間が持ってる『符』とは違うってことか？」

「さよう。宮様が込めているのは神力でござる」

「そんなっ⁉」

息を整えていたティアが驚いたように声をあげる。神官のティアは『祈り』で神々の奇跡を起こすけれど、自分の中に神力があるわけではない。使うのはあくまでも神々の代理として少しだけ神力を使わせてもらっているだけだという。

この世界の常識も、私が作ったふわふわ設定な小説であっても、神力とは「神が行使する力」なのだ。

私は目をこらして周りに流れる魔力を視てみる。

一応魔力の流れは視えるけれど、使っている人はいないようだ。

「私たちは魔力を使って魔法を発動させているけれど、この国では魔法使いはいないのです？」

「東の国で使われているのは『符』のみでござるよ。拙者たちを守護されているのは一柱《ひとはしら》の神でござる。その神が拙者たちに『符』を与えてくれるのでござる」

そう言ってメイアンさんは名刺サイズくらいの紙を取り出して見せてくれる。確かこれは東の国の人か、許可をもらえた人にしか使えないって話だよね。

「ユーリに魔力が視えるってんなら、俺らも通常の護衛で大丈夫かもな」

「私の『祈り』も、発動は少し遅いですが届いているようです」

納得したように頷くオルフェウス君の横で、不穏なことを言うティア。

「うむ。我が国の神は、世界ではなく東の国だけを守護されておるので、他の神々を信仰するティア神官殿には厳しいかもしれぬでござる」

「他の神々を信仰することは許されているのですか？」

「ティア神官殿は他国の御方でござるから、何を信仰してようと平気でござる。ただ、東の国で生きたいのならば、東の国の神を信仰しないと『符』が使えなくなるでござる」

なるほど納得。

信仰すれば神様が便利な力を与えてくれるよってことかぁ。

それって、なんか……。

モヤっとしたものを感じたところで、リーンという音が鳴る。

「おっと、このような場所で申し訳ないでござる。宮様が早く入れと言うので、案内するでござるよ」

「さっきの音でわかるんですか？」

「……ユーリ殿は、あの音が聞こえるのでござるか？」

「リーンって鳴ってました」

そう言いながら隣にいるお父様を見上げると「なんのことだ？」と言われてしまう。

え？　なに？　もしや怪奇現象？？？

「きゅっ（我にも何も聞こえぬぞ）」

私の肩に乗ってきたモモンガさんも首を振り、オルフェウス君、ティア、セバスさんも何も聞こえていないらしい。

なお、メイアンさんは『符』にトランシーバーのような機能を持たせてあるのを、上役の人からもらっていたとのこと。

えー、なんか怖いー。

なんとなく寒気がしてきたので、お父様からの抱っこの申し出を遠慮なく受けることにする。メイアンさんの前で恥ずかしいけれど、今は冒険者をちょっと休憩するってことで。

こういう時、子どもの体でよかったなぁと思う。


水墨画の風景から一転。

黒塗りの扉が開かれると、中は別世界のように朱色と金色を使った絢爛《けんらん》豪華な内装が広がっている。

建物は大きくないように感じたのだけど、実は広かったのかな？

「宮様の居住地は『符』の力で感覚を鈍《にぶ》らせるのと、建物自体が視覚を誤認識させるような造りにもなっているでござるよ」

「ほう、興味深いな」

「宮様のほうが詳しいから、謁見の後にでも聞いてみるといいでござる。食事が用意されておるかな」

外交で来たお父様ならともかく、冒険者の私とオルフェウス君とティアまで一緒に食事をとる必要があるのだろうか。

またリーンって鳴った。今度はなんぞ?

「気楽に参加してほしい、と宮様が仰っているでござる。ここにいる皆が一緒でも大丈夫でござるよ」

神の力が使えるほどの高貴な御仁から「気楽にどうぞ」と言われてもなぁ……。

39　あの日の夢をみる少女

お約束どおり途中で靴を脱がされるイベントがあり、セバスさんが「こちらで持ち歩きますので大丈夫です」と言っていたよ。

宿でも靴は脱いでいたからこのイベントは予想していたけど、セバスさんが持ち歩きたい理由は仕込んでいる暗器だろうなぁ。

ツルツルな朱色の廊下を歩いていくと、外から見た時は水墨画だった景色はどこへやら、渡り廊下になっている庭園は色とりどりの植物が美しく配置されている。

「わび、さび……」

「ユーリ？」

「なんでもないです！」

つい、前の世界の言葉が出てしまうくらい美しい庭園ということなのだよ。うむ。

先を進むメイアンさんについていくこと数分。

やたら広い建物の中が迷路のようになっているのは、偉い人の住んでいる場所あるあるなのか。

「ここに入るでござるよ」

突如目の前にあらわれたのは、巨大な「襖《ふすま》」だった。

「なんつーか、ここを建てた建築家に物申したい気持ちになるよな」

「これは王国でいうところのドア……ですよね？」

オルフェウス君とティアの言葉に、メイアンさんが「うむ！」と頷いている。

「拙者も宮様の独特な感性は、いまだ理解できぬでござるよ」

メイアンさんったら、上役の御方について堂々と……。

「きゅっ（この国は魔力の流れはあるが、精霊がほとんどおらぬ）」

精霊がいないということは？

「きゅきゅっ（覗き見や情報がまったく得られないということであるな）」

なんということでしょう。

セバスさんを見たら、同意の頷きを返される。さすセバの『影』をも阻む、おそるべし東の国
……！

すると、またリーンという音が鳴り、二つの襖が両側にゆっくりと開かれていく。

一応、お父様抱っこを解除しておく。気楽にしていいと言われているけれど、尊い御方の前ですからね。

朱色の敷物が広がる宴会場……もとい、謁見の間にいたのは、大きな座布団にゆったりと座っている……白い虎だった。がおーっ！（錯乱《さくらん》）

「え？　いやなんで虎が？」

『入るがよい。ユリアーナ・フェルザー、いや、本田由梨』

「こ、声？　話せる？　なんで名前を知ってるの？」

『これこれ慌てるでない。他の者は別の場所におるから、落ち着いて妾《わらわ》と二人きりで話をしようではないか』

お、おお？　この魅惑のハスキーボイスは……白虎さんは女性でしたか。どうもはじめましてーって……。

ん？　二人きりとな？

◇

「ユーリ？」

先ほどまであったユリアーナの気配が消えた。

あの毛玉も一緒にいたようだから最悪な事態にはなっていないとは理解はできている。しかし心まで理性で抑えられるかどうかは……。

「旦那様」

「侯爵サマ、落ち着けって」

「反応があるまで『祈り』を捧げてみます！」

セバスたちから投げかけられる言葉を受け取る余裕はない。

荒れ狂う心はそのまま魔力へと伝わり、部屋の中に用意されていた茶器などが割れていくのをメイアンは青ざめて見ている。高価であっても知ったことか。

「メイアン！　お嬢サマ……ユーリをどこにやったんだよ！」

「知らないでござる！　宮様もおらぬし、このようなことは初めてでござるよ！」

この男は何も知らなかっただろう。いや、知らされなかったのだ。

宮家の者は、この国に来る前からユリアーナを狙っていたのかもしれない。

「旦那様。我らの精霊を一時呼び戻しましょうか」

「いや、このままでいい」

体の中で荒れ狂う魔力を調整するのに少々時間がかかったが、私ならばユリアーナがどこにいても見つけることができる。

たとえ、世界を越えていたとしても。

「閣下、神から『捧げよ』と」

「たやすい。元より捧げている」

「ふふっ、そうですね」

神官の娘の言葉が無くとも、ユリアーナに私の持つすべてを捧げている。あの日、あの子に救われたのは魂だけではない。私のすべてなのだから。

「セバス」

「はい。『影』の準備はできております」

フェルザー家が、なぜ恐れられているのか。

宮家とやらに目にものみせてくれよう。

◇

まわりを見れば、私ひとりが立っている。

お父様たちはどこにいったのか見回すけど、誰もいない。どうしよう。動悸《どうき》と冷や汗がすごいことになっている。

オロオロしている私を気にした様子もなく、白虎は尻尾で床をタンッと叩く。するとそこからヌルッと出てきたのは大きな鏡だった。

映っている蜂蜜色の髪の小さな女の子は私……ではないと思う。なぜなら薄紅色の髪をした褐《かっ》色《しょく》肌の男性に抱き上げられて、幸せそうに笑っているからだ。

「これは……誰？」

『違う世界のユリアーナだ。其方《そなた》自身でもある』

「私じゃないです。あれは、違います」

だって、あれは、私が見た都合のいい夢で……。

『夢？　其方が願ったことであろう？』

私が、願った？

『あの者たちを運命《さだめ》にしておきながら、あのように変えるとはな』

鏡の向こうにいる女の子が「私」に気づいて、手を振った。

笑顔で何かを言っているけれど、鏡の向こうの声は聞こえない。

「なに？　なんて言っているの？」

鏡は音もなくくずれ、氷が溶けるように床へと落ちていく。

その最後の欠片が消える時、かすかに「ありがとう」という声が聞こえたような気がした。

「今のは……」

「きゅきゅっ（やれやれ、空間ごと引き離されたか）」

ふわりと肩に着地したモモンガさんは、毛をモフッと膨らませて警戒している。ひとりじゃなくてよかったぁ……。

『おや、さすがに精霊王までは除けられなかったか』

「きゅっ（みくびるな。一柱《ひとはしら》でもないモノが）」

『それを言われると弱い。妾は一部ではあるが、柱ではないからな』

白虎とモモンガという動物バトルが繰り広げられているけれど、小さいのに堂々としているモモンガさんはすごい。

すると、肩の上にいたモモンガさんはクルリと一回転して、手のひらサイズの人形《ひとがた》精霊王の姿に変わった。

「主よ！　我の姿は仮であると何度言えば……！」

『ははは、なかなか面白い子だな。頼まれたということもあるが、妾も其方に目をかけておこうぞ』

「頼まれた、ですか？」

ここで気になるのは、モモンガさんはともかく白虎さんにまで心の声が聞こえているということ。

メイアンさんの案内でここに来たということは、この人（？）が宮様って人なのだろうけど、白い虎だとは思わなかったよ。

『名乗りが遅れたな。妾は白虎《びゃっこ》ノ宮と申す。臣のメイアンを助けたと聞いた。礼を言うぞ、由梨』

「私は由梨じゃないです！」

『そうか？　美しい黒髪を持つ乙女であるのに？』

「……え？」

気づけば横に鏡がある。

鏡の向こうで驚いている黒髪の少女は、あの時精霊界で見た「魂の姿の私」だった。

どれくらいの時間がたったのだろう。

数分か数時間なのか。とにかく私は呆然としていた。

胸もとに落ちた長くまっすぐな黒髪は懐かしいけれど、今はただ恐ろしい。

『恐れるでない。其方は由梨であり、ユリアーナであろう？』

「でも、私は……」

『なぜ恐れる？　その心が、常に世界を不安定にさせておるのだ』

「……え？」

真っ暗になっていた部屋の中、白虎さんの言葉に血の気が引くような感覚から呼び戻される。

私が不安定だと世界に何かが起きるの……？

「主よ。そこの獣の言うとおりだ。主は以前、『世界の理』に触れておるからな」

『精霊王？』

「黙れ獣！　我は主に役割を与えられておる！」

白虎さんとモモンガさん（人形《ひとがた》）の言い合いを聞きながら、私は徐々に冷静になっていく。

そうだ。あの時、私がどんな姿になっても、お父様とお兄様は変わらなかった。

私を私《ゆり》だと《ユリアーナ》認識していたし、変わらず愛情を与えてくれていた。

「そっか。私、ずっと不安だったんだ」

皆と仲良くしているし、お父様と一緒にいれば平気だと思い込んでいた。だから離れていかないように、私が頑張るべきだと必死に動いていた。

でも、それは違う。

もっと不安とか、私の前世のこととか、打ち明けるべきだったんだ。

せめて、一番信頼できるお父様にだけでも……。

「まぁ、アレは何を言っても今さらという感じがするぞ」

「モモンガさん……」

「我は精霊王であるから多少は視えておる。だが、我ではないであろう？　主が最初に伝えるべき者が……ああ、来たか」

『ま、待て！　妾から開くから！』

「やりすぎたな獣よ。我は知らんぞ」

『精霊王！　逃げるな！』

「我は主を守っていた。逃げてはおらぬ」

『精霊王ーっ‼』

なぜか焦っている白虎さんがいるけれど、今の私は暗闇を切り裂く冷たい魔力を待ち焦がれている。

白虎さんがつくった空間が壊されて、心地よい芳《かぐわ》しき匂いと逞しい筋肉に包まれた私は、ふにゃりと笑った。

「ベルとうさま……」

「ああ、ユリア。私の唯一はお前だけだ」

「ベルとうしゃまぁ……」

黒髪であるはずなのに、いつもと同じように抱きしめてくれるお父様。

ああ、私《ユリアーナ》は私《ゆり》でいいのですね。

「当たり前だ」

「えへへ」

ふにゃふにゃになった私は、そのまま意識をなくしたのでした。ふにゃん。

これからのおはなし

ふわふわな雲に乗って寝ている夢をみて、起きたらお屋敷にある私の部屋のベッドだった。

マーサとエマがすごく心配していて、丸三日ずっと寝たままだったと泣かれてしまった。そうだね。丸三日はびっくりだね。

あれ？　と思って鏡を見たら、蜂蜜色の髪に紫色の瞳の私がいたので、少しホッとする。

お父様とお兄様あたりなら大丈夫だけど、他の人にあの姿を見せる勇気はまだ出ない。

「やはりお嬢様が遠くの国を旅するのは、まだ早いと思います」

「お屋敷にいれば安全です！」

マーサとエマの過保護が発動しているけど、私はまだ東の国でやりたいことがある。

そう！　異文化探索！　観光！　グルメ！　モフモフ！

「きゅ？（モフモフならば我がおるではないか）」

「あ、モモンガさん！　ぶじでよかったー」

毛布の上にぽすんと乗っかってきたので、たくさんモフモフしてあげる。お腹の柔らかい毛も堪能してやろうぞ。モフモフ。

「きゅっ、きゅきゅきゅっ（あっ、そこはやりすぎなのだ主よっ）」

よいではないかよいではないかーっとモフモフしていたら、大きな手につかまれたモモンガさんが放り投げられて、大好きな腕に抱き上げてもらったよ。

「ベルとうさま！」

「起きたか。体はどうだ？」

「おなかすきました！」

「……そうか。食事にしよう」

ふにゃっとした顔が元に戻らないけど、お父様抱っこをしている腕がムキッとした感じなので大丈夫だと思う。

白虎さんのところで迎えに来てもらってから、ふにゃふにゃが癖になっているのかもしれない。

……もうちょっとだけ、このままでもいいよね？


あれから何があったのか、お父様（主にセバスさん）から聞いた。

白虎さんはお父様のとんでもない魔力で文字どおり凍りつき、モモンガさんは私を守ったご褒美の貴重な木の実をたくさんもらえたらしい。モモンガさんがモモンガの本能に忠実すぎる件。

メイアンさんが謝りたおし、なんとか白虎さん氷像計画が中止になった。でも今度はメイアンさんが白虎さんを長時間説教したそうな。

自慢のモフモフの毛もぺっそりしてしまったみたいだけれど、アレはやりすぎたのだとモモンガさんが言っていた。私も丸三日寝ていたから、きっとやりすぎだったんだと思う。

ところで、宮様が白い虎だったのはともかく、彼女のことを「細く、美しく、たおやか」という表現をしていたメイアンさんは特殊な目を持っているのではなかろうか……。価値観は人それぞれだから、まぁいいんだけど。

白虎さんには色々聞きたいこともあるので、渋るお父様を説得（上目遣いでおねだり三秒）して、また会えることになった。楽しみだ。

東の国を旅する計画は、私の療養（もう元気なんだけど）が終わり次第、また続けることになった。マーサとエマに、一日に一回帰ってくるように約束させられてしまった。できる限りってことで譲歩してもらったよ。それにしても旅、とは……？

アズマ国に行っていたというお兄様の話聞きたかったけれど、戻ってきてからバタバタしているみたい。

そこにはお師匠様の一家が関わっていたみたいで、「早めに片付けるから、旅に出るのは待っていてくれ！」と何かのキラキラした毛にまみれているお兄様から涙目で言われてしまった。

オルフェウス君とティアは、宮家に残って東の国について勉強しているみたい。早く合流したいけど、お兄様のこともあるし、お師匠様ともお話ししたいので少し先になりそうだ。

「いや、俺らはいつでも戻れるし」

「私たちはユリちゃんの護衛で、ユーリちゃんの仲間ですから」

まだ体力回復しきれていない私がしょんぼりしていたら、オルフェウス君とティアが来てくれた。

セバスさんが送り迎えをしているとのことだから、さすがセバスさん。さすセバ。ありセバ。

そんなこんなで、ハッピーエンドはまだ先だけれど、なんとか私《ユリアーナ》として頑張れると思う。

お父様に甘やかされるため日々精進しながらも、謎が多い東の国を攻略（?・）するぞ！

えいえい、やーーーっ!!（天高く拳を突き上げる幼女）

番外編

とある侯爵家ご令《れい》息《そく》の優雅な冒険生活

THE ELEGANT ADVENTURE LIFE OF A CERTAIN MARQUIS' SON

私の名は、ヨハン・フェルザー。

フェルザー侯爵家の嫡男《ちゃくなん》であり、現在は王立学園に通う学生だ。

しかし今の私は旅装束を身にまとい、ただ真っ直ぐに草原の中を歩いている。

「ヨハン……ではなく、テオ」

「なんだ？」

「なぜ、わざわざ偽名で行動しているのですか？」

「ああ、父上が冒険者として活動している時は偽名を使っているからな」

「……そうですか」

ペンドラゴンの息子である彼に微妙な表情をされていたが、これだけは譲れない私のこだわりだ。

「それと、なぜ髪を赤く染めているのです？」

「ギルドでアロイスと言われた」

「確かに、テオは御父上にそっくりですものね……」

職業斡旋所《あっせん》……通称「ギルド」は、働き手を募《つの》って様々な仕事を斡旋する機関である。

ギルドに登録すると冒険者《ハンター》として動くことになり、斡旋された仕事をこなしていくと「ランク」が上がっていく。高ランクになればギルドから信用があるとされ、大金がもらえるような任務を回してもらえるようになるのだ。

しかしその域に達するのはほんのひと握りで、私が知っている高ランク冒険者は妹の護衛のオルフェウスくらいだ。

父上も昔は高ランク冒険者として活躍していたそうだが、フェルザー家の当主になられてからは職務に邁進《まいしん》されていたので、ランクは中級あたりらしい。

「ユリアーナのためとはいえ、父上は現役冒険者として活動をしているからな。髪色を変えれば間違えられることはないだろう」

「ですが、その赤髪だと氷の魔法を使えないのでは？」

「苦手だが多少は火属性も使える。なんとかなるだろう」

「はぁ……そうでしょうか……」

本当は当たりさわりのない髪色にしようと思っていた。

だが、ギルドに入る直前で脳裏をよぎったのは、冒険者として活躍しているお祖父様の姿だったのだ。

いつもは物静かな契約精霊の氷花も、珍しく機嫌が悪いようだ。私の力により氷の属性を持つ精霊となったのに、契約者が真逆の火属性ばかり使ったら嫌だろう。

なるべく風の属性を使うと約束したら静かになったが……。

「今回の案件に荒事がないのを祈りたいところですが……アズマ国に渡った希少種を穏便に保護するのは難しいでしょうね」

「厄介なことになったな」

今の私たちは「ただの冒険者」として動いている。なぜならば、国という組織にとらわれない身分が必要だったから。

さらにペンドラゴンの奥方から、フェルザー家の人間に動いてほしいと内密に依頼があったので、私が出ることにしたのだ。

獣人族は群れで行動し、仲間を大事にするという。そして上に立つ者に絶対服従をするとのことだった。

今の私はフェルザー家当主代理である。敷地内の森を管理する獣人族に何かあれば、私自身が動くこともやぶさかではない。獣人族からは同じ学園に通うペンドラゴンの息子が同行することになった。

なぜ『影』に任せることができないのかといえば、保護対象は狼の子で同種族であっても警戒心が強く、無理に捕まえようとすれば暴れて怪我をする危険があるとのことだ。

「私が行くのはわかるが、なぜ鳥のがついてくる？」

「テオひとりで行かせるなんてできませんよ。それに母方の種族は狼に警戒されませんからね」

「なるほど」

アズマ国へ行くことに関して父上に確認したところ、条件付きで許可を得ることができた。私は早々にギルドで冒険者の登録をすませ、最短ルートを使うため徒歩で移動している。

「まさか、狼族に黄金の子が生まれていたとは思いませんでした」

「親は気づかなかったのか？」

「通常は成人する頃に覚醒《かくせい》して判明するものなのです」

黄金狼《こがねろう》は、その名のとおり黄金を生み出す力を持っている。

獣人族にとって黄金は価値のないものだが人族にとっては違う。欲深い人間に連れて行かれたとすれば、ただではすまないだろう。

狼族は好奇心が強いと聞いている。もしかしたら自分の足で出ていった可能性もあるとのことだ。妹の連れている精霊獣……精霊王も、狼族が遊び半分で魔獣を狩りすぎたために精霊界から渡ってきていたという前例もある。確かあの件も狼族の子どもたちが原因だった。

「なんにせよ、早く見つける必要がある」

「はい。思った以上にギルドで時間がかかってしまいましたからね」

私たちがギルドで冒険者として活動できるよう登録をしていると、いかにも「荒くれ者」といった風体の男が声をかけてきた。

なぜか「教育をしてやる」などと言ってきたから、私は「不要だ」と断った。

フェルザー侯爵家の次期当主である私には、父上から最上の教育を受けさせてもらっているのだから、教育なぞ必要ないものだからな。

堂々と言い返す私に、鳥のが「そういうことではないと思いますよ」と言っていた。

何やら怒って殴《なぐ》りかかってきたから、周囲に漂っていた魔力を操作して流すと、その勢いのまま壁に激突して伸びてしまった。

ちなみにギルドで絡まれた話をしたところ、妹のユリアーナから「おやくそく！」と叫ばれた。

その「おやくそく」とは、一体どのような約束なのだろうか？

アズマ国は、我が国とは山で隔《へだ》てられた向こう側にある。

古くは東の国から渡ってきた人々が興した国だと言われている。

建国したのは我が国よりも古く、東の国よりは新しい。そして山肌に沿うような畑が多くあり、王国とは違う独特な気候の変化がある。

私は魔力を使い、鳥のは姿を変え、数日かかる山越えを数時間で終えた。そして国境で冒険者のカードを身分証として使用し、無事アズマ国に入った。

人の出入りがそれなりにあるからか、それなりに栄えている国境の町に入り、すぐに宿で部屋をとることにした。

空いていたのは二人用の部屋で、鳥のが個室にしろと文句を言っていたが私は気にしない。今は部屋のことよりも、狼の子を捜して保護することを最優先にせねばならない。

道すがら購入した軽食を広げていると、鳥のが謝ってきた。

「すみません。テオの身分を考えてしまいまして……」

「今は冒険者だ。それに、ここで宿泊はしない」

「……そうですね。また移動する可能性もありますから」

今回の件について、鳥のと事前に打ち合わせをせずにここまで来た。時間が勝負となるから、とにかく忙《せわ》しない。

せめて食事はゆっくり食べようと提案し、鳥のに茶の準備をしてもらう。

「そういえば、姫様は東の国に興味があって渡られたのですよね」

「ああ、父上も不思議がっていた。彼の国にどのような魅力があるのか……」

「確か姫様の護衛は黒髪……彼の国の人々は黒目黒髪だという話がありましたよね」

「……なん、だと？」

「やめてくださいテオ。殺気をだしたら狼の子が逃げてしまいますよ」

「仮にも狼の子だ。俺ごときの殺気で逃げるわけがない」

とはいえ、ユリアーナとオルフェウスの間に何かが起きるとは考えづらい。あの中でオルフェウスと何か起きるとしたら神官だろう。

その神官も、オルフェウスには見向きもしないだろうが。

「狼の子の親はなんと言っていた？」

「アズマ国の方向に匂いが残っていると言ってました。子の母親は臨月《りんげつ》で体調が悪く、父親ともども動けないようです。助けは期待できませんが、どう動きますか？」

「下手に聞き込みも出来ないからな。契約精霊を使う」

「氷花を？」

「ああ、それと……」

手のひらに小さな氷と風の魔力を集めると、そこに姿を現したのは三つの光だ。

「父上とセバスの契約精霊にも来てもらった。彼らに協力してもらい、他の精霊たちと共に狼の子を捜してもらう」

「さすがですね……え、ちょっと待ってください。セバスさんも精霊と契約されていたのですか？」

「言ってなかったか？」

「いえ、確かに突然現れたりされてましたが、それはまた別のものだと思ってました」

「確かに……セバスは精霊の力を使わずとも突然現れることができる」

「ですよね……」

フェルザー家の『影』は特殊な訓練をしている。

その内容は父上も知らないもので、セバスの弟子であるオルフェウス曰く「とにかくすごい」らしい。

何がすごいのかを聞いたら、セバスが笑顔のままオルフェウスを落としていたので聞けなかった。

きっと一子相伝の技なのだろう。

そうこう話しているうちに、私の契約精霊の氷花が戻ってきた。父上とセバスの精霊も一緒にいるから、もう見つけたのだろうと宮廷魔法使いのペンドラゴン特製マントを身につける。

「え？　もう見つかったのですか？」

「ああ、お前もこれを装備しろ。このマントがあれば人間には姿が見えなくなる」

「獣人族には？」

「匂いでバレる」

「ですよね……」

なにせ相手は狼の子だ。このようなマントを装備しても意味はない。

これはあくまでも対人間用だ。

「それにしても、欲深い人間は愚《おろ》かです。黄金狼を攫《さら》っても何も得られないのに」

「金《きん》を生むという話では？」

「狼族から話を聞いたのですが、そもそも黄金狼は身を守るために毛先が金に変化するそうです。それが不要となった時に体から離れるので、安全な場所や家族の近くでしか落ちないそうですよ」

「……誘拐されても金は生まないということか」

「はい。敵と認識する存在を感知すると毛先が黒くなるので、確実に金は得られないでしょう」

説明を聞いているうちに、さらに早く保護をしなければと感じる。

もし金を生まないと知られれば、狼の子の命が危うい。面倒だからと殺されてしまう。

「狼の子は成人まで獣の姿だというのは本当か？」

「はい」

「……場所は近いようだ。急ぐぞ」

私の考えを察したのか、素早い動きで鳥のがついてくる。

道案内をするように光を発する氷花を追っていけば、飲食店の裏で男性店員から肉をもらっている動物がいる。

運のいいことに、体が土まみれだから金色が隠れていた。

「狼族は警戒心が強い種族……だったか？」

「空腹には勝てなかったようですね。生きるための本能ですから」

店員は動物好きなのか、皿には味付けをしていない茹《ゆ》でた肉が置いてある。

食べている様子を眺めていた店員は、奥から名前を呼ばれて店に戻って行った。

「今のうちに……どうすればいい？」

「……どうしましょう」

保護するのは私が動けばいいと、ペンドラゴンの奥方は言っていた。ならば私が行こうと一歩踏み出せば、子狼の耳がピクリと動く。

泥に塗れたその姿をどうにかしてやろうと魔力を動かせば、おとなしく座って尻尾を振りながら待っているではないか。

「……ほら、綺麗になった。帰るぞ」

「わふん！」

ひと吠《ほ》えしてから転がるように私の足元に寄ってきた狼の子に、私は思わず眉をひそめる。

「お前、そのように走るから汚れるのだ。もっと足を高く上げて走れ」

「くぅん？」

「テオ……まだ幼いので理解できないと思いますよ……」

呆れたように言われるが、子どもだとしても言葉で伝えることは大事だと思うぞ。

まぁ、ひっくり返って腹を見せている小さき獣は、状況さえも理解していないようだが……。

魔力で汚れをとって抱き上げると、ちぎれんばかりに尻尾を振り、すさまじい勢いで顔を舐められる。本当に狼族の強い警戒心とやらはどこへいった？

「ここまで懐くとは、さすがフェルザー家の御方ですね」

「動物には恐れられるばかりかと思っていたが」

「獣人族は動物とは違いますからね？」

「とりあえず保護は完了した。帰るぞ」

「……本当に宿泊しないのですね」

「今日の夕食はユリアーナが同席する」

「ああ、はい、さようで……」

それなりの時間をかけてアズマ国まで来たが、国境を越えてからの帰りは一瞬だ。

姿を戻したため機嫌のいい氷花が、しっかり精霊の移動を使ってくれた。

獣人族たちからの礼は後日にしてもらい、ユリアーナと一緒の夕食のため、私は身支度を整えるのであった。


ちなみに、しばらく屋敷に滞在することになった黄金狼の子にやたら気に入られ、毎日のように自室を黄金の毛まみれにされてしまうので、清掃担当者が処理に困っているようだ。

安心できる場所と認定されたのはいいが、ここで金を生み出されても扱いに困る。

このモフモフ（ユリアーナ語録より抜粋《ばっすい》）を、早く引き取りに来てほしいと切に願っている。

あとがき

お久しぶりです。もちだもちこです。好きな言葉は「果報は寝て待て」です。寝たら果報がもらえるなら、いくらでも寝てやるぜってなもんです。（そうじゃない）

今回も『氷の侯爵様に甘やかされたいっ！』をお読みくださり感謝でございます。

毎日コツコツがんばって、とうとう5巻になりました。

ここまで書き続けることができたのも皆様のおかげです。

本当にありがとうございます。これからもコツコツがんばります。

5巻では東の国でユリアーナが〇〇〇〇無双回……かと思いきや、魔女たちの登場回となりました。（〇〇〇〇にはお好きな言葉を入れてください。例：フンドシ）
そして砂漠の国（4巻）でも大好評だった軍団の本家（？）も出てきます。
作者も読者も楽しめる……そんな作品を目指しております。ユリアーナたちの旅はまだまだ続きますので乞《こ》うご期待！　でございますよ。

初めましての人と会った時、皆さんはどのような質問をしますか？

いきなりプライベートなことを聞くのも失礼だろうし、あたりさわりのないものならば「趣味」や「職業」でしょうか。

私の場合、初見の相手に必ずする質問は「現在ハマっているもの」です。

純粋に相手のことを知りたいからというのもありますが、誰かの「好き」や「推し」の話って、聞いていると元気になるんですよね。

ポジティブなエネルギーを発している人との会話は、とても心地よいものです。

なぜこのような話をしているのかというと、初めて担当編集さんと打ち合わせした時に、たくさん「ハマっていること」を聞かせてもらったからです。

とても良いエネルギーをもらえた気がします。なんならマイナスイオンを浴びたかもしれません。ありがたやありがたや……。


今回も素敵なイケメンパパとラブリー幼女のイラストを描いてくださった双葉はづき様、ありがとうございます！

（透明感のある妖精のような）編集A様、素敵な感想をくださる校正G様、並びに関係者の皆様、お世話になっております！　ありがとうございます！

いつも見守ってくれる家族たち、励ましてくれる仲良し作家さんたち、そして力強い応援をくれる友人たちにも、たくさん感謝しております！


そして、この本を手に取ってくださった皆様に特大の「ありがとう」を。

２０２３年８月吉日　もちだもちこ

おまけ漫画

コミカライズ
第3話

漫画：香守衿花

原作：もちだもちこ

キャラクター原案：双葉はづき

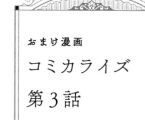

お兄様は
お父様に
よく似て
美しく整った
顔をしている
一応ユリアーナも
美少女になる
予定なんだけど
彼の前では
そんな設定も
霞《かす》んでしまいそうだ
中身私だし
美少年オーラァ…
それは
そうと
お兄様がなぜか
動かなくなって
しまったんだけど??
第3話

ごほんっ
若様こちらにいらっしゃるのがユリアーナお嬢様です
気を取り直して
セバスさんありがとう
もう一回言ってくれてる
ユリアーナです
はじめまちておにいしゃま
ニコ
やっぱり噛んだ～～っ!!
スーーッ
ハーーッ
もう幼女だから仕方ないってことにしようそうしよう…

キリッ
おおっ かわい かっこいい 美少年
……セバス 自室へ行く
かしこまり ました
あれ？ 帰っちゃうの？
ギギギ…
カク カク
パタン
エマ… おにいしゃま どしたの？

お嬢様すみません…私にもわかりかねます
あはは…
だよね 何も言わずに帰っちゃったもんね
はっ
でも考えてみたら兄は正真正銘父と母の子どもだ
父親が誰ともわからない私とは違う
もしかしたら母親が出ていったのは私のせいとか思っているのかも……
ってゆかそういう風に思っていたとか設定していた気がする
うわちょっとこれはヤバイ
ぽて
ぽて
ぽて
セバス
セバス
おにいしゃまおこってたの？
お気になさらず
若様はお嬢様を見てご安心なされたようですから
明日には学園へ戻られるでしょう

がくえん？
？
王都にある
王立学園です
お嬢様も
10歳になれば
通われると
思います
おおっ
そういえば
そんな設定も
あったっけ
貴族の子や
才能のある子が通う
王立学園には
寮がある
お兄様は
家から通わず
寮生活を
送っているのだ
ちなみに
ユリアーナは
10歳になる前に
家を出て
師匠に弟子入りし
早々に冒険者として
活躍しちゃうんだけどね
…と、
そうだ
セバスさんには
お礼を言わないと
セバス
えほん
ありがとう
おもしろかった

それは何よりですが…
エマお嬢様に読み聞かせたのですか？
いえ私は何も……
いつの間に文字が読めるように…？
お嬢様…お疲れになったのでは？
部屋に戻りましょう
うんそうするありがとう
ほ…

おやすみなしゃい
マーサ
エマ
キイッ
あっ
おかえりなしゃいませ！
ひょこ
おにいしゃまも！
あわわ
おむかえしないと!!
ぽんっ
そのままでいい

ススス…
今日は遅いから菓子の褒美は明日だ
なでなで
はい
ふにゃ
クワッ
えっ何？こわい
美少年が無表情で目をクワッと見開いてるのめっちゃこわいんですけど
マーサエマあとは頼む
はい旦那様
お任せくださいませ
いやなんなのそれ
何を納得したの⁉
ふむふむ
バタン
いったいなんだったの…

さかのぼること数刻前——
父上
少々よろしいですか？
ヨハンか珍しいな
その日の夜はとても珍しいことに
親子の会話がなされました
父上ユリアーナのことですが
報告は受けている
まだ会うには早いと言っただろう
…申しわけございません
ですが
ヨハン
ギロッ

申しわけございません
このような殺気は自分の子に向けるものではないと思いますが
これがフェルザー家です
正直引きます
二度はない
ムム…
もちろんです
しかし父上
ユリアーナに会い気付いたことがあるのです
……なんだ⁉

父上
ユリアーナは
もしや…
神がつかわされた
天使……
なのでは？
は？
突然ヨハン様は
何を言い出すので……
さすが
我が息子だな
気付いたか
旦那様までっ!?
あの愛らしさは
異常です
このままだと
危険だと
認識しました
護衛を
増やしましょう
確かにお嬢様は
愛らしいとは
思いますが
異常とは
言い過ぎ
では…

うむ すべてが小さく愛らしい
愛らしすぎて本当に生きているのか毎日確かめてしまう
お嬢様へのご褒美のため通っておられると思っていたのですが??
護衛の手配は済んでいるが…
ペンドラゴンが弟子に寄越せとうるさいので
なぁ お前んとこの 娘ちゃんよぉ
うるさいな
あれも護衛に加えてやることにした
ならば魔法については完璧ですね
あとは物理で対応すべきですが…
となると騎士団長ですか?
うむ すでに打診はしている
!?
いやいや お待ちください!
彼らを護衛に雇うなどフェルザー家が破産してしまいます!
国一番の担い手ですよ!?

落ち着け セバス
私がそんな愚かなことをするわけがないだろう
はっ
申しわけございません
出過ぎたことを…
しっかり弱みを握っている
奴らを低賃金で雇えるぞ
フッ
旦那様アアッ!?
〝フェルザー家の『セバス』たるもの常に冷静沈着であれ〟
ですがユリアーナお嬢様に関わることについては
教えを守ることができないようです…
チチチ…
お嬢様お時間ですよ
んにゅ…

旦那様のお見送りをされるのでしょう？
もうすぐ朝食を終えてしまわれますよ？
はっ
ん！おきう！
がばっ
私の残念な脳みそを振り絞り
この世界で生き抜く作戦を考えてみた
迷惑を掛けないようがんばるのは当たり前として
さらに何かするべきではないだろうかと
この前セバスさんが「旦那様に声を掛けてあげてください」って言ってたし
ばた
ちゃんと挨拶をしないとダメなのではって思ったんだ
ばた

おふたりとも
まって
くだしゃい〜!
ぽて
ぽて
ユリアーナ
ぽて
ふんっ
ふぉっ!
ぽすんっ
ぎゅ
何か
あったのか?
ユリアーナ

めろめろ～
はっ
あのっ ごあいさつをしましゅ！
ご挨拶？
いってらっしゃいませ！
キラ
ニコッ
キラ
おしごとがんばってくだしゃい！
キラ
……セバス

王宮での執務は
国王様との
面談のみです
領地関連の
決済についてでは
こちらで可能かと
ふむ
面談は
必要ないな?
では
お断り
いたします
え
ちょっと
待って
それって
めちゃくちゃ
重要な案件じゃ…?
だ
だめです
おうしゃま
だいじです
国に関わることに
私個人の意見を
求めてても
しょうがないだろう
いや
そういうこと
じゃなくて!
おうしゃま
ないちゃう
かあいそう!

……セバス
伝言は取り消しました
なで…
はぁ よかった… 危ないところだった
…お嬢様 ありがとうございます
ここだけの話ですが…
国王様は旦那様をとても頼りにされているのです
たより？
そんな裏事情があるわりにセバスさん
全然止める気がなかったように思うのだけど…
じと———…
ぱちんっ
ふぉ!!
素敵！
私ったらチョロい！

さて、今日は天気も いいことだし
体力をつける ためにも お庭を散歩する ことにした
ふんふん ふー…
るん
るん
ちょこん
…ん?
羽根?
お嬢様?
エマ
鳥しゃ いる
あそこ
ぽててっ
あっ
いけません!
お嬢様 こちらに……!

ぐ
…………
…………
オッサンだ！
鳥しゃ
ちがう
あーーん？
誰だ
オメーは
お嬢様！
いけません！
わっ
もふっ
ぐいっ
ふぉぉ…
フワフワ
モフモフだぁ…
あーー
そこの侍女ちゃん
落ち着けって
今日から
フェルザー家の
雇われになった…
ザシュッ
……うぉっ
あっぶね！
ナイフ飛ばす
なよって！
ん？
ナイフ？
ふにゃあ〜〜〜

お嬢様を離せ!!
はいはい
ちょっと待っててねー
ほれ
鳥しゃんだれ？
ん？
覚えてないか？
王宮で治療しただろ？
えっ
もしや…ペンドラゴン様ですか？
おう
よく知ってるな
いえ
母からお噂はかねがね…
…ああっ!?
宮廷魔法使いであらせられるペンドラゴン様に！
ご無礼を！
えええ!!?
土下座ァ!?
いや
気にすんなって
俺がここで力尽きてたのが悪い

ちからつきてた？
まりょく？
おう
嬢ちゃんは頭いいなあ
ははは
鳥おじしゃ
だめおじしゃ
はははっ
そうだよなぁ
ダメおじさん
だよなぁ
お、お嬢様…
聞けば鳥オッサン……ペンドラゴンさんは
お父様に言われて急いで屋敷まで来てくれたらしい
ひゅるる〜っ
あっ
やべっ
ご飯を食べていなかったのを忘れた上に魔力を使いすぎて
うっかり力尽きたとのことだ
嬢ちゃんが魔力暴走した日にランベルト…
侯爵様がすんごい剣幕で詰め寄ってきてさぁ
うちの師匠かなり年いってるから泡吹いて倒れちまって
師匠ーっ!!
ばたーんっ
それで急遽《きゅうきょ》俺が寄ることになったってわけ
ごめいわきゅおかけしました
いやいや

あー
んで、
なし崩し的に
俺が宮廷魔法使いに
なっちまってさ
まだ顔を
知られてない
もんだから
今日みたいなことが
よくあるんだわ
驚かせて
悪かったな
ん
いえっ
私はよいの
ですが…!
あれ？
気のせい？
セバスさんの
体から
何か出ている
ように見えるよ
しろい…
ゆげ？
おっ
嬢ちゃんは
魔力が見える
みたいだな
これなら魔法を
教えるの
楽になるわぁ
ゆげ
まりょく？
なの？
そうだ

それを こうやってな ちょいちょいって 動かして やるんだよ
ばちっ
ふぉぉ
んで 執事さん？ 試験は 合格かい？
及第点ですね
きびしーな
いや なんとなく わかるよ
この人… ものすごい魔力を 持っている
まっ
じーさんには 城で宮廷魔法使いの 仕事をやってもらって 俺はしばらく 嬢ちゃんの護衛と 魔法の教師って ところか
…そんなわけで
私の家庭教師に なってくれるらしい 鳥オッサンによる
魔法の授業が 始まった
魔法使いには 呪文や魔法陣で 魔法を発動させる 理論派と
それらを 使わない 感覚派がいる
俺は 感覚派だ
自分で結果を イメージ してから
そこらにある 魔力を適当に 『つまんでこねて 投げて』いる

なにそのハンバーグな魔法…
魔法の理論を学ぶことも大事だが…
嬢ちゃんは感覚派《こっち》だろうな
なんとなく
魔力が感じられるってことは
この世界がどういうものか
ある程度わかっているんだろう?
俺には隠さなくてもいいぞ
へ?
人によって違うけどな
魔力暴走した奴らは何かしら特殊な能力を得ていた
世界の真理を知った者もいるという
……

いつか…話したくなったら話してくれればいい
…あい
おししょ…
は？
ぺんどりゃ…むずかし
だから、おししょ
あ
ああ！それでいい
ははは
嬢ちゃんは俺の弟子だからな
…俺んとこには息子がひとりいるが
もうひとりくらいは大丈夫だ
何かあれば頼ってくれていいからな
？、わかりました
よくわからないけど
どうやら鳥オッサンは味方のようです

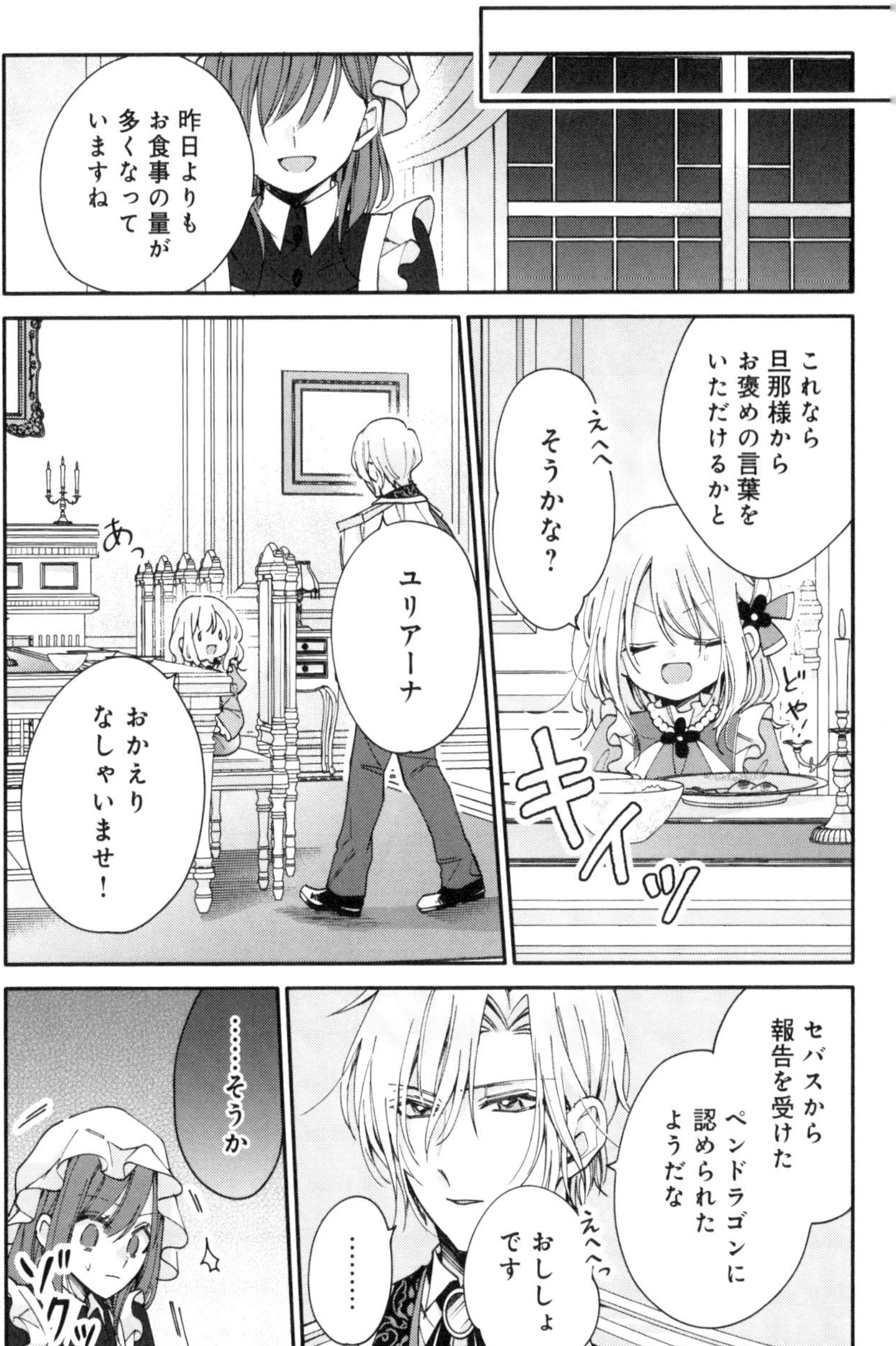
昨日よりもお食事の量が多くなっていますね
これなら旦那様からお褒めの言葉をいただけるかと
えへへ そうかな？
どや
キイッ
ユリアーナ
あっ
おかえりなしゃいませ！
セバスから報告を受けた
ペンドラゴンに認められたようだな
えへへっ おししょです
……
……そうか
ゾクッ

エマ
だいじょぶ？
はっ
はい！
申し訳
ございません！
なぜか一瞬
冷たい空気が
流れた気が
するんだけど…
お父様や
セバスさんは
普通にしてるし
気のせいかな？
…それで
どうだった？
おしょ
ふわふわ
あと
かみ
きらきら
虹色の髪って
不思議だったなぁ
……そうか
ズシン
あれ？
また空気が
冷たくなった
気がする
じと…
あ
もしかして
お父様が
聞きたかったのは
そういうことじゃ
なかったとか？

えっと、えっと！
まりょくのれんしゅうと
ごはんたくさんたべました！
……そうか
ごほうびたのしみです
ユリアーナこちらへ
ふわ…っ
トン
トン
ほっ
空気があたたかくなった
お父様は進捗を聞きたかったんだね
ひょいっ
ふぉ
ごほうび？
そうだご褒美だ
なで
なで

うれしい
だんなしゃま……
その瞬間
ランベルトの魔力で窓の外を光が走り
ドォオオオン
地響きと共に屋敷全体がみしりと揺れた——
続きはコロナEXにてお楽しみ下さい!

父様と仲良く
「東の国」で
観光旅行！
東西南北の町を巡って
神様に会うための木札を
ゲットせよっ！

次巻予告

ミッション：お

ユリアーニャ再び!?

氷の侯爵様に甘やかされたいっ! 6

シリアス展開しかない幼女に転生してしまった私の奮闘記

もちだもちこ
MOCHIDAMOCHIKO

illustration 双葉はづき
FUTABA HAZUKI

2024年発売予定!

甘く激しい「おかしな転生」

TV ANIME

テレビ東京・BSテレ東・AT-X・U-NEXTほかにてTVアニメ放送・配信中!

※放送・配信日時は予告なく変更となる場合がございます。

CAST
ペイストリー：村瀬 歩
マルカルロ：藤原夏海
ルミニート：内田真礼
リコリス：本渡 楓
カセロール：土田 大
ジョゼフィーネ：大久保瑠美
シイツ：若林 佑
アニエス：生天目仁美
ペトラ：奥野香耶
スクヮーレ：加藤 渉
レーテシュ伯：日笠陽子

STAFF
原作：古流望「おかしな転生」(TOブックス刊)
原作イラスト：珠梨やすゆき
監督：葛谷直行
シリーズ構成・脚本：広田光毅
キャラクターデザイン：宮川知子
音楽：中村 博
OP テーマ：sana(sajou no hana)「Brand new day」
ED テーマ：YuNi「風味絶佳」
アニメーション制作：SynergySP
アニメーション制作協力：スタジオコメット

アニメ公式HPにて予告映像公開中!
https://okashinatensei-pr.com/

GOODS

おかしな転生 和三盆

古流望先生完全監修!
書き下ろしSS付き!

大好評発売中!

STAGE

舞台「おかしな転生」
～アップルパイは笑顔とともに～
DVD化決定!

2023年8月25日発売!

GAME

TVアニメ「おかしな転生」がG123でブラウザゲーム化決定! ※2023年8月現在

▲事前登録はこちら

只今事前登録受付中!

DRAMA CD

おかしな転生ドラマCD第②弾

好評発売中!

詳しくは公式HPへ!

氷の侯爵様に甘やかされたいっ！5
～シリアス展開しかない幼女に転生してしまった私の奮闘記～

2023年9月1日　第1刷発行

著　者　もちだもちこ

編集協力　株式会社MARCOT

発行者　本田武市

発行所　TOブックス
〒150-0002
東京都渋谷区渋谷三丁目1番1号　PMO渋谷Ⅱ　11階
TEL 0120-933-772（営業フリーダイヤル）
FAX 050-3156-0508

印刷・製本　中央精版印刷株式会社

ISBN978-4-86699-924-1